TERRA FIRMA
et.
NOVUM REGNUM
GRANATENSE
et.
POPAYAN
Amstelodami
Apud GERARDUM VALK et
PETRUM SCHENK
Leucæ Hispanicæ
Miliaria Germanica communia
GOVERNACION
DE SANCTA
MARTHA
NUEVO REYNO DE
GRANADA
Cartagena
C. del Aguja
Baranca de Malamba
Tenerife
Tamalameque
Alpuerto
Ocanna
R. Auyamas
Merida
Coro
Golfo de Venezuela
La Rancheria
Pta das Piedras
Tapia
Salmaca
Sierras de Sufano Sierra Nevada
Val de upar
Cividad delos Reyes
Rio Cesar, o Pompatao
S. Christoval
Caceres
Vetes
Pamplona
Montes de opon
R. de Carare
El Desembarcadero
Placentia
Veloz
Mulos
Trinidad
Tunia
Tudela
Colymas
S. Miguel
Palma
Tocayma
La. de Guaravita
Sta Fe de Bogota
R. Pati
Mariquita
Ybagua
Sebastian de la Plata
Onda
Villa delos Angeles
Neyva
Val de Neyva
Mampos
Pixaos
Paezes
S. Vincente
S. Juan delos Llanos
Timana
Truxillo
Cartama prov.
Pueblo blanco
Nrã Señora delos remedios
Arma
Arma pr.
Paucura pr.
Picara pr.
Carrapa pr.
Arbi pr.
Cartago
Cordillera delos Andes
Sierra nevada
Rio Cauca, o Rio grande de Sta Martha
Laguna frigidissima
Linea Æquinoctialis

EL LIBRO DEL NUEVO REINO

Visión de Colombia

JOAQUIN PIÑEROS CORPAS

EL LIBRO DEL NUEVO REINO

Visión de Colombia

THE NEW KINGDOM BOOK

A vision of Colombia

EDITORIAL VOLUNTAD LTDA.
BOGOTA, D. E. - COLOMBIA

Versión inglesa: H. Rochester
John Sharp
N. Kerr
Roy Cherrier
A. Montaña

Asesoría gráfica: Hernán Díaz

Fotografías: Hernán Díaz
Guillermo Angulo
Germán Téllez
Alberto Acuña

Dibujos: Julián Trujillo Largacha

PRINTED IN COLOMBIA. IMPRESO EN COLOMBIA.
EN LOS TALLERES EDITORIALES DE LIBRERIA VOLUNTAD
BOGOTA, D. E. - COLOMBIA. - 1966.

Capítulo I

MITO Y REALIDAD DE EL DORADO

El mito de El Dorado tuvo su origen en Colombia, en la cuarta década del siglo XVI, a través de uno de los episodios más interesantes y significativos del descubrimiento y dominación del Nuevo Mundo.

Tres conquistadores se dirigían hacia el centro del territorio colombiano, en donde tenía su sede el reino de los muiscas. Uno de ellos, Nicolás de Federmann, provenía de Venezuela y después de atravesar las interminables y caldeadas llanuras orientales intentaba apoderarse de la verde meseta de Bogotá, cual si se tratase de tomar un castillo ricamente abastecido; otro, Gonzalo Jiménez de Quesada, había salido de la Costa Atlántica con el propósito de descubrir las cabeceras del río de la Magdalena. Diezmado su ejército por el rigor de las jornadas bajo el fulgurante sol del trópico, cambió el rumbo primitivo para ir en pos de las minas de que eran indicio ciertos panecillos de sal que iba encontrando a lo largo de sus peregrinaciones. El tercero, Sebastián de Be-

Chapter One

THE GOLDEN MAN: MYTH AND FACT

The myth of *El Dorado* ('The Golden Man') originated in Colombia in the fourth decade of the sixteenth century, in the course of one of the most interesting episodes of the discovery and conquest of the New World. Three conquistadors were making their way separately toward the center of the territory that is now Colombia, where the Kingdom of the Muiscas was situated. One of them, Nicolás de Federmann, had come from Venezuela and, having crossed the endless, sun-blasted eastern plains, was assaulting the green tableland of Bogotá as if it were a richly provisioned castle. Another, Gonzalo Jiménez de Quesada, had left the Atlantic coast to seek out the sources of the Magdalena River. His army decimated by hardships on their march under the blasting tropical sun, he turned aside from his original route in order to look for salt mines, the existence of which was attested by the cakes of salt found along the way. The third, Sebastián de Belalcázar, had come from Perú, in the

lalcázar, procedía del Perú, en cuya conquista participó activamente. Dominado por la obsesión del norte, hubiera continuado en dirección paralela al Pacífico, hasta encontrar las regiones del Darién, en el Atlántico, si no hubiese oído que un indio ponderaba la magnificencia de un rey de oro, que señoreaba las comarcas del nordeste. "Vamos a ver ese hombre dorado", exclamó Belalcázar y enderezó sus pasos hacia la planicie bogotana.

La noticia del indio no carecía de fundamento. Una de las más atrayentes ceremonias cívicas y religiosas del reino chibcha se efectuaba en las orillas de la hermosa Laguna de Guatavita, (cuya concavidad fue formada en la falda de un monte por el formidable impacto de un aerolito), para rendir culto a Bachué, la madre del género humano, que surgió del fondo de las aguas con un niño en los brazos, y obsequiar también a una princesa india condenada a dormir para siempre en el lacustre abismo, por haber faltatado a sus deberes de cacica y esposa. Grandes multitudes acudían para participar en los ritos, entonando cánticos al son de conjuntos musicales, y quemando en hogueras grandes cantidades de *moque,* o incienso indígena, quizás con la fantástica pretensión de embalsamar la comarca. El momento culminante se registraba cuando el Zipa o rey de reyes, avanzaba en una balsa, desnudo y cubierto de oro en polvo, para sumergirse en las aguas y entregarles un tesoro que ya nadie podría recuperar.

Nunca vieron los conquistadores tan fastuosa ceremonia quizás porque el Zipa cautivo bastante tenía con las tribulaciones de su corazón

conquest of which he had participated. Obsessed by his drive to the North he would have continued his way parallel to the Pacific until he reached the vicinity of Darien on the Atlantic, had he not heard an Indian praising the splendor of the King of Gold, who held sway over the lands to the northeast. "Let us go see that Golden Man", exclaimed Belalcázar, and directed his steps toward the plain of Bogotá.

The Indian's tale was not unfounded. One of the Chibcha kingdom's most striking civic and religious ceremonies was enacted on the shores of beautiful Guatavita Lake (whose bed had been formed on a mountain slope by a meteor's tremendous impact) to venerate Bachué, mother of the human race, who had risen from the waters with a child in her arms; and also to honor an Indian princess condemmed to sleep forever in the depths of the lake for having failed her duties as chieftainess and wife. Great multitudes came to take part in the rites, singing hymns to the accompaniment of groups of musicians, and burning in bonfires great amounts of *Moque,* native incense, perhaps with the fanciful intent of perfuming the entire district. The climax came when the *Zipa,* or King of Kings, naked and covered with powdered gold, came forward on a raft to sink into the waves and deliver to them a treasure no one could recover.

The conquistadors never saw this magnificent ceremony, perhaps because the captive *Zipa* had too heavy a heart to think of joyful festivals. But in any event, the existence of the Golden Man was no less real than were the green lands and the

para pensar en fiestas jubilosas. Pero de todas maneras el hombre dorado existió, de la misma manera que eran ciertas la ambicionada tierra verde y fértil y las minas de sal buscadas por Jiménez de Quesada. Quien viaje a Bogotá podrá dar testimonio de ello. En el Museo del Oro del Banco de la República se encuentra una de las más ricas colecciones de orfebrería del mundo, hecha por los artífices de la corte de aquel Zipa u hombre dorado; cerca de Bogotá, se puede visitar no sólo la legendaria salina, sino también, cavada en ella, una majestuosa catedral subterránea; y la comarca misma, con clara fisonomía de Edén, recuerda ser la misma tierra, verde y plana, soñada por Federmann.

Poco a poco la fantasía de los conquistadores fue cambiando la real maravilla del rey desnudo y cubierto de oro en polvo, por un símbolo de tierra prometida, de espléndida hazaña civilizadora. El propio Jiménez de Quesada, ya viejo pero aún irremisiblemente quijotesco, emprendió en los Llanos Orientales una expedición en busca de El Dorado, que terminó en melancólica dispersión de los que no perecieron insolados o famélicos.

Después de cuatro siglos, el mito de El Dorado, uno de los que más han fatigado la historia universal de la imaginación, sigue vigente en Colombia en la forma de un ideal de cultura y de felicidad colectiva, acorde con las promesas de la naturaleza nacional y con los valores intelectuales y morales del hombre de la patria. A través de la historia, propios y extraños, han señalado las

salt mines for which Jiménez de Quesada strove. Whoever visits Bogotá can testify to it. In the Museum of Gold of the Bank of the Republic is to be found one of the world's richest collections of gold work, fashioned by the artisans in the court of that *Zipa,* or Golden Man. Near Bogotá one can visit not only the legendary salt mine, but also, carved within it, a magnificent underground cathedral; and stretching for many thousands of square miles, a plain whose beauty and promise indeed fulfill Federmann's fondest dreams. Little by little the conquistadors' imagination changed the real wonder of the naked king, clad in powdered gold, into the symbol of a promised land, a splendid achievement of civilization. Jiménez de Quesada himself, despite his age an indefatigable Don Quijote, undertook on the Eastern Plains another expedition in search of *El Dorado,* which ended in the tragic scattering of the men that did not die of sunstroke or hunger.

Four centuries later, the myth of *El Dorado,* a tale numbered among those that have most aroused men's imagination around the world, lives on in Colombia as an ideal of culture and national happiness, in harmony with the promise of the nation's natural environment and the intellectual and moral values of our countrymen. Throughout history Colombians and foreigners have remarked upon the capacities and promise of *El Dorado's* country in feelings and opinions like those quoted in the following brief anthology of distinguished comments.

The chronicler of the New Kingdom of Granada, don Juan de Caste-

capacidades y promesas del país de El Dorado.

El cronista del Nuevo Reino de Granada, don Juan de Castellanos, puso en boca de los soldados de la Conquista que llegaron al corazón del país estas jubilosas exclamaciones:

¡Tierra buena! ¡Tierra buena!
¡Tierra que pone fin a nuestra pena!
Tierra de oro, tierra bastecida;
Tierra para hacer perpetua casa!

Dos siglos y medio más tarde don José Celestino Mutis, botánico español de dilatada fama, precursor espiritual de la Independencia y apóstol de la ciencia en tierras del Nuevo Mundo, escribió:

"Ningún sitio tan ameno, ni tan delicioso, para un botánico europeo".

Poco después, don Camilo Torres, el jurista de la revolución hipanoamericana, proclamó la importancia de su patria de la siguiente manera:

"Todo constituye al Nuevo Reino de Granada digno de ocupar uno de los primeros y más brillantes lugares en la escala de las provincias de España".

En los días de la emancipación, Simón Bolívar acudió a la cita con su destino en el suelo de Colombia, con esta consigna:

"He venido aquí a seguir los estandartes de la Independencia que tan gloriosamente tremolan en estos Estados".

Organizada la República, el ilustre viajero argentino don Miguel Cané hizo la síntesis de la Nación en los siguientes términos:

"País de libertad, país de tolerancia, país ilustrado, tiene felizmente la iniciativa y la fuerza perseverante necesaria para vencer las dificultades de su topografía".

En la cuarta década de este siglo

llanos, put these joyous exclamations into the mouth of the soldiers of the Conquest who reached the heart of the country:

Goodly land! Oh, goodly land!
Land that endeth all our strife!
Land of gold, with fruits o'erflowing;
Home to us, while we have life!

Two and a half centuries later, Don José Celestino Mutis, a Spanish botanist of wide fame, a forerunner in spirit of Colombia's Independence, and an apostle of Science in the New World, wrote:

"(there is) no other place so pleasant, nor so delightful, for a European botanist".

Shortly thereafter Don Camilo Torres, lawgiver of the Hispano-American revolution, proclaimed the importance of his native land:

"Everything makes the New Kingdom of Granada worthy to occupy one of the first and most brilliant places among all the provinces of Spain."

During the period of national liberation Simón Bolívar kept his appointment with destiny on Colombian soil with this watchword:

"I have come to follow the banners of Independence, which wave so gloriously in these States."

After the establishment of the Republic, Don Miguel Cané, distinguished Argentine traveler, succinctly characterized the nation:

"A land of liberty, a land of tolerance, a land of culture, she fortunately possesses the initiative and perseverance necessary to overcome the problems presented by her topography".

Not long ago the famous writer, André Maurois, ended his remarks on his visit to Colombia thus:

el insigne escritor André Maurois finalizó así los comentarios sobre su visita a Colombia:

"Comienzo a comprender a aquel francés que me dijo: 'Vine a Colombia por tres días, y aquí he permanecido durante treinta años'. Infortunadamente, hermano, debo partir mañana al amanecer".

Y con deferentes palabras su Santidad Pío XII, el eximio adalid de la paz cristiana en el orbe moderno y de la comprensión entre los pueblos, dijo en dos significativas y solemnes oportunidades:

"Colombia es un país que parece especialmente llamado a la armonía y a la paz, por el hecho mismo de que la naturaleza se ha gozado en reunir en él todos los climas, todas las tierras y todos los cultivos".

"Colombia es un pueblo de vieja civilización cuya historia nosotros mismos hemos unido muchas veces a la de aquellos antiguos y esforzados paladines —Quesada, Ojeda, De la Cosa, Belalcázar— a cuyos impulsos heroicos cedieron las puertas del Nuevo Mundo".

* * *

Colombia, el país de El Dorado, es ante todo el Nuevo Reino. Así lo bautizó el primero entre sus descubridores y conquistadores; así lo denominaron sus colonizadores y su mezclado pueblo primigenio; así lo llamaron los próceres de la Independencia y entre todos ellos Camilo Torres, el vaticinador de la Independencia y profeta de Bolívar que solicitó para el Nuevo Reino de Granada sitio de privilegio entre las provincias de España, y Francisco José de Caldas, físico y sociólogo,

"I am beginning to understand the Frenchman who told me: 'I came to Colombia for three days, and I have stayed here for thirty years'. Unfortunately, I must leave tomorrow at dawn."

And with words of warm regard, His Holiness Pius XII, the outstanding leader of Christian peace in the modern world and of understanding among nations, said on two meaningful and solemn occasions:

"Colombia is a country that seems especially called to harmony and peace, for the very reason that in her, nature has been privileged to bring together all types of climate, land, and crops."

"Colombia is a nation of age-old civilization, whose history we ourselves have often linked to that of those brave knights of old —Quesada, Ojeda, De la Cosa, Belalcázar— to whose heroic thrusts the New World's doors swung wide."

On another important occasion the Pope declared: *"Colombia is a symbol of genuine culture and true law".*

* * *

Colombia, the land of El Dorado, is first of all the "New Kingdom". It was so named by its first discoverer and conquerer, and by its first settlers. It continued to be called the "New Kingdom" by the forerunners of independence, among whom were Camilo Torres, herald of independence and prophet of Bolívar, who requested for the New Kingdom of Granada a privileged position among the Spanish colonies, and Francisco José de Caldas, physicist and sociologist, who was the first to study the Colombian man in relation to his natural environment and who gave

que estudió por primera vez al hombre colombiano en relación con su medio natural y dio al periódico destinado a editar los trabajos relacionados con la promesa de su joven y desconocido país el título de *Semanario del Nuevo Reino*.

Aunque las denominaciones de tipo republicano han dejado con carácter meramente histórico nombre tan tradicional y significativo, y entre todas ellas la clara y sustancial de Colombia es inapelable, nuestro país en un sentido de legítima ilusión de Dorado y de segura perspectiva de un bien entendido destino nacional sigue siendo el Nuevo Reino: es decir, la patria prometida para el labriego, el intelectual y el obrero; la tierra de libertad en la que la iniciativa y la fuerza perseverante conjuran las dificultades de la geografía, al decir del egregio viajero argentino; la Colombia mejor que sueñan las actuales generaciones universitarias; la nueva época que hará coincidir con un territorio racional y armónicamente cultivado, una fecunda atmósfera social de convivencia y progreso; la meta justificadora de los anhelos de los libertadores y de las aspiraciones de quienes más que vivir el presente para sí mismos, buscan con su pensamiento y su acción la feliz circunstancia de naturaleza y cultura en que deberán vivir sus hijos.

En este boceto de una imagen nacional mantengamos el título de Nuevo Reino como resumen de lo que en noble pasado, en presente con fe, pero especialmente en brillante porvenir, Colombia representa.

to the periodical founded to report the status of this young, promising, unknown country the title *"The New Kingdom Weekly"*.

During the time of the Republic, the country adopted various names related to the tradition of New Granada or the Colombian theme, both fostered by Miranda and Bolivar. This happened each time an important political change ocurred.

Yet the country also still represents both the genuine dream of El Dorado as well as the clear sense and perspective of national destiny implied by the name "New Kingdom". It still represents the promised land of the farmer, the intellectual, and the worker; the land of liberty where initiative and perseverance overcame the difficulties of topography, as the Argentine Miguel Cané said; the new and better Colombia that the present-day student generation dreams of; the new era that will bring to a rationally and harmoniously developed land a fertile atmosphere of social well-being and progress: the worthy goal of the efforts of the liberators and of those who instead of living entirely for themselves in the present, are striving in their plans and in their activities for the happy combination of nature and culture in which their children should live.

In this sketch of the national image we will use the title of "New Kingdom" as symbol of what Colombia represents in its glorious past, in its hopeful present, but especially in its brilliant future.

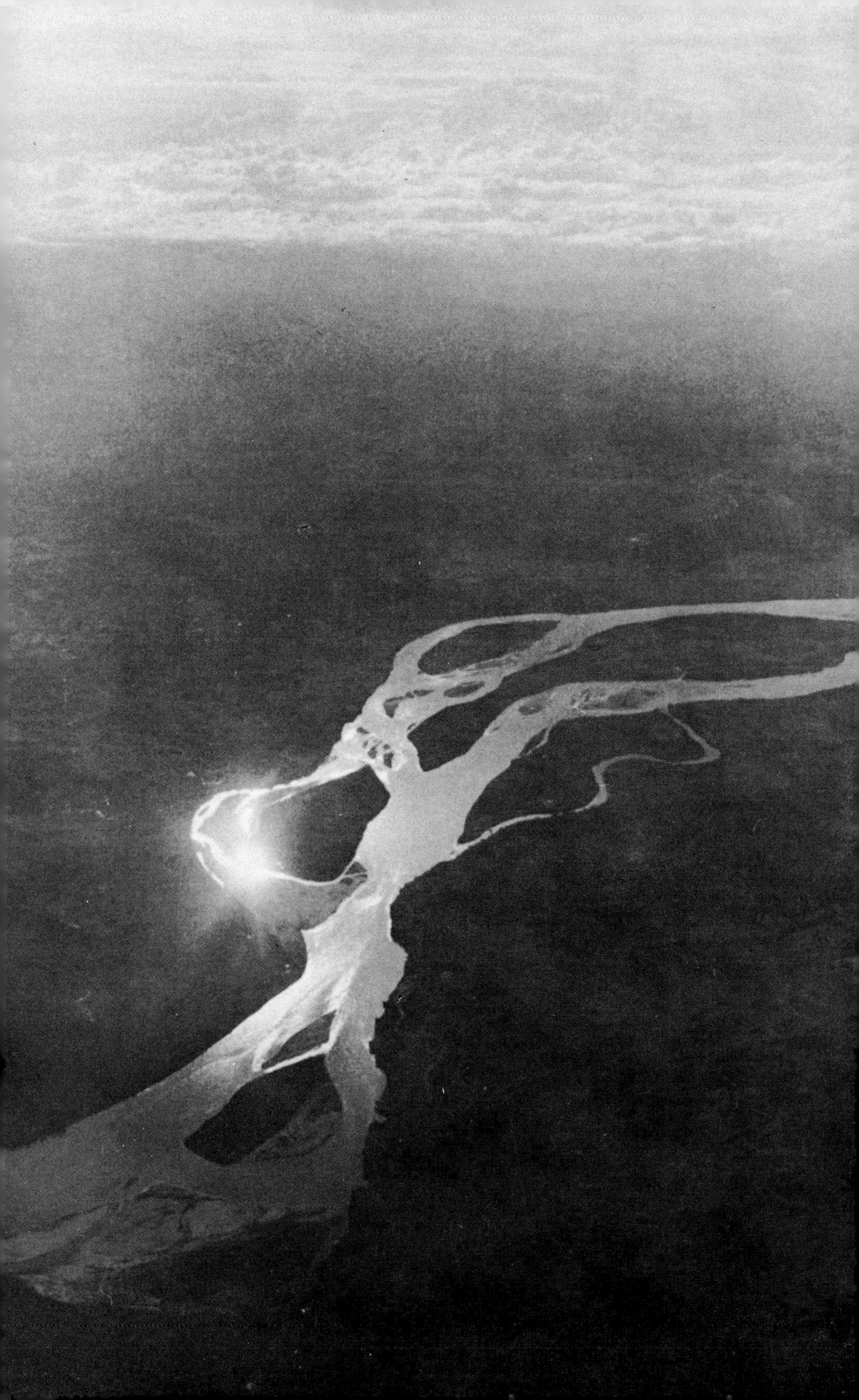

LOS LLANOS ORIENTALES
THE EASTERN PLAINS
Fot. Acuña

◀ EL MAGDALENA
MAGDALENA RIVER
Fot. Hernán Díaz

EL CAFETAL
COFFEE PLANTATION
Cortesía Colseguros

LOS ANDES
THE ANDES
Fot. J. Piñeros

LITORAL ATLANTICO
ATLANTIC COAST
Fot. Hernán Díaz

Capítulo II

PRINCIPALES CARACTERISTICAS DE LA NACION COLOMBIANA

Posición estratégica

COLOMBIA, así llamada para honrar a Colón y reparar en parte la injusticia de que el Nuevo Mundo no lleve el nombre de su Descubridor, es la nación "puerta de entrada de Sur América", con costas sobre el Atlántico y el Pacífico, riberas sobre los ríos Orinoco y Amazonas, una extensión territorial de 1.138.338 kilómetros cuadrados (aproximadamente 440.000 millas cuadradas) y una población de dieciocho millones de habitantes.

La observación del mapamundi señala claramente la privilegiada posición geográfica de Colombia, tanto en lo universal como en lo continental. Si, merced a sus costas sobre los dos océanos, puede comerciar marítimamente sin solución de continuidad con todas las regiones del mundo, en punto de tránsito aéreo interamericano es obligado campo de relación entre dos grandes zonas del Hemisferio, además de sugerir la diagonal adecuada para vincular en un mínimo de tiempo el Este de

Chapter Two

PRINCIPAL CHARACTERISTICS OF THE COLOMBIAN NATION

Strategic location

COLOMBIA, so named in honor of Columbus, to undo in some measure the injustice of the fact that the New World does not bear the name of its Discoverer, is the gateway to South America, with coasts on the Atlantic and the Pacific, frontiers on the Orinoco and Amazon rivers, an area of 440,000 square miles, and a population of more than 18 million people.

A glance at the globe will show clearly the privileged geographical position of Colombia, from a worldwide as well as a continental point of view. While, for example, thanks to her coasts on both oceans, she can carry on direct maritime trade with all parts of the world, she is likewise, in inter-American air transport, a necessary point of reference between the two great zones of the Hemisphere; her location, moreover, suggests the most appropriate diagonal linking in minimum time the East of North America with the East of South America (Montreal, New

Norte América con el Este de Sur América (Montreal, Nueva York, Bogotá, Río de Janeiro, Buenos Aires).

La contigüidad de Panamá (antigua provincia de Colombia), es uno de los muchos aspectos de la importancia estratégica de la nación, a lo cual se suma la posibilidad de abrir un nuevo canal interoceánico a través del Departamento del Chocó (vía Atrato-Truandó).

Los contrastes geográficos

Los rasgos predominantes de la geografía colombiana están determinados por el sistema montañoso de los Andes, que entra al país por el Sur, imponente y unificado, para ramificarse luégo en tres cordilleras: la Oriental, la Central y la Occidental, que conservan a través del territorio un relativo paralelismo.

Al oriente del país y con escasa densidad demográfica se extienden grandes llanuras y se mantienen, casi intactas, inmensas reservas forestales. Grandes ríos que tienen su origen en las cimas andinas, corren en cuatro direcciones: hacia el Atlántico, como el histórico Magdalena; hacia el Orinoco, como el majestuoso Meta; hacia el Amazonas como el caudaloso Caquetá y hacia el Pacífico, como el turbulento Patía.

País de trópico, su clima sigue el régimen de las alturas sobre el nivel del mar. No hay pues estaciones propiamente dichas, en cuanto a diferencias regulares de temperatura y cambio de vestidos de la naturaleza. Las dos grandes variaciones climatológicas que anualmente se registran se distinguen por la abundancia o escasez de las lluvias. Lo primero se llama invierno y lo segundo verano.

York, Bogotá, Rio de Janeiro, Buenos Aires).

The fact that Panama (former province of Colombia) is adjacent is one of the many factors contributing to the strategic importance of the country, and a circumstance which would make possible the opening of a new interocean canal across the Department of Chocó (Atrato-Truandó route).

Geographical contrasts

The predominant features of Colombian geography are determined by the mountain system of the Andes, which enters the country from the south as a single mighty range, to branch out subsequently into three chains, the Eastern, the Central and the Western, which run in relatively parallel courses across the country.

In the east of the nation lie great, sparsely settled plains, and forest reserves that remain almost untouched. Great rivers which rise among the Andes peaks run in four directions: toward the Atlantic, as, for example, the historic Magdalena; toward the Orinoco, as the majestic Meta; toward the Amazon, as the mighty Caquetá, and toward the Pacific, as the turbulent Patía.

A tropical land, its climate varies according to elevation above sea level. There are no actual seasons, so far as regular changes in temperature and in the garb of nature go. The two great annual variations in climate are distinguished by the abundance or scarcity of rainfall. The first is called winter and the second, summer. In the zones situated at or near sea level, heat prevails; in the regions between altitudes of two thousand and four

En las zonas situadas al mismo nivel del mar o de poca elevación, predomina el calor; en las regiones comprendidas entre alturas de setecientos a mil quinientos metros se mantiene una agradable temperatura media y en las comarcas que exceden dicha altura, hasta llegar a los tres mil metros, la columna termométrica se mueve dentro de los grados que en países como el Canadá corresponderían a un perenne mes de octubre. Existen regiones cercanas que exceden los quince mil pies de altura, presididas por cumbres perpetuamente nevadas y reservadas más que todo a la majestad y al silencio de la naturaleza.

Este aspecto geofísico de Colombia origina la inmensa variedad de la fauna y de la flora y la diversificación de cultivos y recursos económicos, y ha hecho posible el contraste geográfico y humano entre los diferentes sectores del país. El concepto de estaciones, en el sentido de un cambio de ambiente sobremanera provechoso para la vida del hombre, opera en Colombia en función de desplazamiento o de viaje. En una hora de automóvil es posible pasar del eterno otoño de Bogotá a la amable primavera de pintorescas poblaciones veraniegas. Descendiendo una hora más, se puede disfrutar de una seca y sedante atmósfera de verano.

Otra consecuencia de este aspecto geofísico ha sido la armónica distribución demográfica. En vez de poseer una metrópoli de absorbente influjo centralista y excesivamente populosa en relación con las demás ciudades del país, en Colombia existen numerosas ciudades que hacen las veces de capitales económicas y administrativas de las diferentes re-

thousand feet, the temperature is pleasantly mild, neither cold nor hot; and in the districts above this altitude, up to nine thousand feet, the mercury stays within a temperature range which in a country like Canada would correspond to a never-ending month of October. Near by are regions above fifteen thousand feet in altitude, dominated by eternally snow-capped peaks, which are the private domain of nature's majesty and silence.

This geographical feature of Colombia is responsible for the immense variety of her flora and fauna and the diversification of her agricultural and economic resources, and has made possible the geographical and human contrasts which exist among the various sections of the country. The idea of seasons as a change in environment highly beneficial to human life is, in Colombia, a concept dependent upon changing one's location, or traveling. In an hour's drive it is possible, for example, to go from the eternal autumn of Bogotá to the pleasant spring of picturesque summer resort towns. By descending for one more hour, one may enjoy a dry and calm summer climate.

Another result of Colombia's geophysical constitution has been the well-balanced distribution of the population. Instead of having one great centralizing metropolis excessively populous in comparison with the other cities of the country, Colombia has numerous cities that serve as economic and administrative capitals of the various regions and represent the latters' anthropogeographical and cultural character. The contrast of characteristics and energies of the regions of the country was responsi-

giones y representan sus modalidades antropogeográficas y culturales. El contraste y el vigor de las regiones determinó la adopción de la norma de la Carta Constitucional que establece un régimen de centralización política y descentralización administrativa, cuyo cumplimiento ha facilitado el desarrollo equilibrado y uniforme del país.

Con el mismo acelerado ritmo de modernidad crecen Bogotá, la capital de la República, con cerca de dos millones de habitantes; Medellín, caracterizada por el ímpetu industrial y Cali, coordinadora de los planes económicos del Valle del Cauca, una de las más ricas regiones del Nuevo Mundo, ambas con una población no muy distante del millón de habitantes, y Barranquilla, importante puerto sobre el Océano Atlántico y sobre las desembocaduras del río Magdalena, con una población que rebasa el medio millón de habitantes. Doce ciudades más por lo menos, superan los cien mil habitantes, y representan importantes aspectos de la vida nacional. Entre ellas Manizales, corazón de la más importante zona cafetera y Cartagena, ciudad de turismo e industria, cuyos fuertes y castillos fueron testigos de gloriosas páginas de la historia colombiana.

La más importante ventaja del contraste topográfico colombiano es quizás la posibilidad de disponer en cualquier época del año de los productos propios de todos los climas. Estas ventajas, sin embargo, tienen como contraposición complicados problemas tales como el alto costo y el formidable esfuerzo necesarios para lograr la importante red de calzadas y ferrovías que vincula las distintas secciones del país, y explica también

ble for the adoption of a Constitution establishing a government which is politically centralized and administratively decentralized, and the observance of this principle has made possible the balanced and uniform development of the country.

Growing at the same ever-increasing modern rate are: Bogotá, capital of the Republic, with a population of more than one and a half million; Medellin, characterized by its industrial momentum, and Cali, coordinator of economic planning for the Cauca Valley, one of the richest regions in the New World, both with populations of nearly a million inhabitants; and Barranquilla, an important port on the Atlantic Ocean at the mouth of the Magdalena River, with a population of more than five hundred thousand. At least twelve other cities have more than one hundred and fifty thousand people each and represent important phases of the nation's life. Among these are Manizales, heart of the most important coffee-growing zone, and Cartagena, a tourist and industrial center, whose forts and castles once witnessed glorious pages of Colombian history.

The most important advantage of Colombia's geographical diversity is perhaps the fact that she can have at her disposal at any time of the year products native to any climate in the world. This advantage, however, is offset by complicated problems, such as the high cost and great effort involved in building the vital net of highways and railroads linking the various parts of the country, and explains as well why Colombia is pre-eminently an air minded nation. Her internal air traf-

por qué Colombia es, por excelencia, un país de aviación. En efecto, su tráfico aéreo interno es uno de los más intensos del mundo, y si Colombia estableció la primera compañía de aviación del Continente, en 1919, son más de trescientos los aeródromos en servicio con que cuenta actualmente el transporte nacional.

La dirección económica

La naturaleza que tiene como símbolos la orquídea y la esmeralda comenzó a ser explorada científicamente a finales del siglo XVIII por medio de un movimiento que determinó la fundación de la primera cátedra de matemáticas del Nuevo Mundo. A este movimiento pertenecieron Caldas y otros sabios que más tarde se convirtieron en adalides de la independencia nacional. El aprovechamiento de los recursos naturales es hoy objeto de empresas tan importantes como Acerías de Paz del Río, que marcó la jornada inicial de la industria pesada; la Corporación Autónoma del Valle del Cauca (Plan Lilientall) que tiene el propósito de convertir las privilegiadas tierras del Valle del Cauca en uno de los mayores emporios agrarios del norte de Sur América; las fábricas de textiles de Antioquia; las instalaciones de explotación petrolífera de Santander; los ingenios azucareros del Tolima y Valle; las ganaderías de Cundinamarca, Sinú y Meta, las explotaciones de oro y platino en Antioquia y Chocó y las vastas plantaciones de banano de Urabá.

La principal industria colombiana, la cafetera, es típicamente democrática, pues su gran producción está constituída generalmente por las cosechas provenientes de pequeños

fic is one of the most intense in the world; and since 1919, when Colombia established the first airline on the continent, the number of airports in service available for her national transportation needs has grown to more than three hundred.

Economic trends

Colombia's natural resources, symbolized by the orchid and the emerald, began to be explored toward the end of the eighteenth century by a group of men who were responsible for the foundation of the first chair of mathematics in the New World. To this group belonged Caldas and other scholars who later became the champions of national independence.

The harnessing of natural resources is today the objective of such important enterprises as the Paz del Río steelmills, the establishment of which marked the initial stage of heavy industry in Colombia; the CVC (Lilienthal Plan), which proposes to turn the rich lands of the Cauca valley into one of the greatest agricultural markets of northern South America; the textile mills of Antioquia; the Santander oil field installations; the Tolima and Valle sugar refineries; the Cundinamarca, Sinú and Meta cattle ranches; the gold and platinum mines of Antioquia and Chocó; and the vast banana plantations of Urabá.

The main industry of Colombia, coffee-growing, is typically democratic, for its great production consists largely of crops gathered from the small farms on which hundreds of thousands of rural families work. Coffee is, moreover, a product demanding the joint care of man and nature: it requires good soil, the

fundos a los cuales centenares de miles de familias campesinas vinculan su esfuerzo laboral. Se trata además de un cultivo que es una combinación de desvelos de hombre y naturaleza: exige tierra buena, humedad discreta, temperatura suave, grandes sombríos y recolección a mano.

Hasta el momento, las divisas destinadas al desarrollo económico del país provienen en su mayor parte de exportaciones cafeteras. No obstante la excelente calidad del café colombiano, la superproducción universal y la consiguiente baja de precios en los mercados internacionales ha planteado la necesidad de buscar nuevos, estables y promisorios renglones, para no hacer depender arriesgadamente de uno solo todo el comercio exterior del país, y para estimular también más armónicamente, la producción nacional.

Faltan aún los pasos decisivos en el proceso de organización sistemática de la economía colombiana. Lo cual en vez de sorprender o desalentar, procura interés y promesa al propósito de hacer de este país el emporio agrícola e industrial que lógicamente está llamado a ser, en razón de sus variados y ricos recursos naturales, de la índole inteligente y laboriosa de su población y de la posibilidad de sustentar un importante y activo mercado interno de consumo, estimulado por los factores de un alto nivel de vida y calculado al final de las próximas dos décadas en treinta millones de habitantes.

Capital, técnica y confianza en los efectivos del hombre y la naturaleza nacionales son los elementos básicos para transformar los enérgicos potenciales económicos del país en sa-

right amount of moisture, a mild temperature, and handpicking.

Up to the present, the foreign exchange necessary for the economic development of the nation has come chiefly from the coffee industry. Despite the excellent quality of Colombia coffee, world over-production and the resultant fall of prices on the international market has made it necessary to seek new, promising and stable lines of business, so that the entire foreign trade of the nation will not depend dangerously on a single product, and in order to stimulate a better balanced national production.

Decisive steps have yet to be taken in the systematic organization of the Colombian economy. Rather than causing surprise or discouragement, this fact lends interest and promise to plans to make of this country the agricultural and industrial market it is logically destined to be by reason of its varied and rich natural resources, the intelligent and industrious character of its citizenry, and its capacity to support an important and active internal consumers' market, stimulated by the factors of a high standard of living and a calculated 30 million inhabitants by the end of the next two decades.

Capital, technology and confidence in the nation's human and natural resources are the basic elements for converting the vigorous economic potential of the country into a happy and flourishing reality. This transformation, while it obviously demands significant cooperation at the international level, imposes upon the present generation of Colombians a direct and unequivocal historic responsibility; that of accomplishing,

tisfactoria y floreciente realidad. Transformación que si obviamente reclama una importante cooperación de orden internacional, señala una intransferible responsabilidad histórica a la actual generación colombiana, cual es la de cumplir en los campos de la economía y el bienestar social, una misión semejante a la que correspondió hace siglo y medio a los forjadores de la libertad política.

El proceso civilizador

El Descubrimiento mostró un vasto panorama de pueblos aborígenes diseminados por el territorio colombiano que pueden clasificarse por grupos afines en andinos, caribes y llaneros. Por la sugestiva cultura fue el pueblo chibcha el que más descolló, y aunque no edificó en piedra ni contó con guerreros fulgurantes, dio excelentes pruebas de amante del arte y de las categorías morales, lo cual puede apreciarse en sus trabajos de orfebrería y en el estudio de las instituciones de su organización social.

La Conquista no registró en Colombia las sorprendentes hazañas de Hernán Cortés en México y Francisco Pizarro en el Perú; empero, generó empresas de singular aliento épico en las cuales el europeo logró además de sus triunfos sobre las milicias indígenas, una asombrosa victoria sobre la adversa geografía. Merece ser destacada la calidad de los conquistadores que correspondieron a Colombia como el idealista descubridor del Océano Pacífico, Vasco Núñez de Balboa o el quijotesco fundador de Santa Fé de Bogotá, abogado y escritor Gonzalo Jiménez de Quesada.

De 1550 hasta 1810, España vincu-

in the realms of economics and social welfare, a mission similar to the task undertaken a century and a half ago by those who forged the nation's political freedom.

The march of civilization

The Discovery revealed a vast panorama of aboriginal peoples scattered over the face of Colombia. These can be classified, by related groups, into Andean, Caribbean and Plains Indians. Because of their noteworthy culture, the Chibcha people were the most outstanding, and although they did not build in stone or produce brilliant warriors, they gave excellent proof of their love of art and their moral qualities, as can be seen by their gold-work and by the study of the institutions of their social structure.

The Conquest witnessed in Colombia no such amazing feats as those of Hernán Cortés in Mexico or of Francisco Pizarro in Perú; nevertheless, it inspired striking deeds of epic valor by which Europeans won not only victories over native armies, but also an astonishing triumph over hostile geography. No small renown is justly due those *conquistadors* who fell to Colombia's lot, such as the doughty discoverer of the Pacific Ocean, Vasco Núñez de Balboa, or the quixotic founder of Santa Fé de Bogotá, the lawyer and writer, Gonzalo Jiménez de Quesada.

From 1550 until 1810, Spain wedded her race and her culture to the new lands by a process of colonization not unmarred by serious errors, but in essence eminently humanitarian. So deep was this penetration, that Spain, in mixing her blood

ló su raza y su cultura a las nuevas tierras, a través de una colonización no exenta de graves errores, pero en el fondo eminentemente humanitaria. Tan profunda fue esta penetración que al mezclar su sangre con la del indio y trasladar a las tierras recién desmontadas los recursos de la civilización agraria europea, antes que el mestizo y la granja criolla produjo un nuevo tipo de español y una nueva manera de vivir a la española. A lo cual se agrega la fidelidad con que los hombres del Nuevo Reino aprendieron el idioma de Castilla y el significativo florecimiento de las letras coloniales, como auténtico reflejo de los más característicos fenómenos de la Edad de Oro española. Finalmente, claros índices del entrañable arraigo de la religión de Cristo en el alma colombiana son la egregia pluma mística de la Monja Castillo, el humilde hábito franciscano vestido por el Virrey Solís y el cántaro de agua fresca con que San Pedro Claver acudía a las playas de Cartagena para saciar la sed de humanidad de los esclavos negros traídos del Africa.

En 1810 fue proclamada la Independencia y nueve años más tarde la Batalla de Boyacá consagró la libertad nacional. Los firmes pasos culturales dados por España en los días coloniales y principalmente los educativos y los científicos, representados en la gran entidad docente de los colegios de San Bartolomé y Nuestra Señora del Rosario y en las meritorias labores de la Expedición Botánica, fueron factores decisivos en la preparación del ánimo emancipador y en la transformación del concepto político del colombiano.

Máximos adalides de las empresas

with that of the Indian and in transferring to the newly-cleared lands the techniques of European agricultural civilization, created a new type of Spaniard and a new kind of Spanish living, rather than *mestizos* and *criollo* farming. To this was added the faithfulness with which men of the New Kingdom learned the tongue of Castile, and the significant flourishing of literature as a true reflection of the most characteristic phenomena of the Spanish Golden Age. Finally, clear evidence of how deeply rooted the faith of Christ had become in the hearts of Colombians is provided by the distinguished mystic writings of Sister Castillo, by the humble Franciscan habit worn by the Viceroy Solis, and by the pitcher of cool water with which San Pedro Claver was wont to hasten to the beaches of Cartagena to slake the thirst for human kindness in the negro slaves captured in Africa.

In 1810 Independence was declared, and nine years later the Battie of Boyacá made national freedom a hallowed reality. The firm cultural steps taken by Spain in colonial times, —most particularly in education and science represented by the great educational institution comprising the schools of San Bartolomé and Our Lady of the Rosary— were decisive factors in laying the foundations for the spirit of emancipation and in the transformation of the Colombian's political ideology.

Supreme leaders of the struggle for Independence were Bolívar, Nariño and Santander: the first, a military genius and an enlightened sociologist who found in Colombia a field spacious enough for the vast

libertadoras fueron Bolívar, Nariño y Santander; el primero militar de genio y sociólogo iluminado, que encontró en Colombia el campo adecuado para su vasta obra emancipadora y las reservas humanas y económicas indispensables para la liberación de Venezuela, Perú y Bolivia; el segundo, apóstol de las ideas revolucionarias, y el tercero, organizador civil. Bolívar consagró sus ideales democráticos en dos sentencias memorables: "Al título de Libertador prefiero el de ciudadano" y "Moral y luces son los polos de una república".

De 1819 a 1830 el país integró con Venezuela y Ecuador el estado que con el nombre de Colombia fundara el Libertador. En adelante, a través de los siglos XIX y XX, ha seguido un proceso republicano caracterizado por las vicisitudes propias de una nación joven que busca anhelosamente el sereno equilibrio de sus instituciones y el adecuado desarrollo de sus recursos económicos. Sus mayores errores cometidos en este período se deben principalmente a olvido de los programas políticos y de las perspectivas históricas que trazaron los libertadores.

Pero a la postre de revoluciones, crisis y cambios de constitución, han quedado invictos un riguroso sentido de unidad nacional, un auténtico espíritu democrático, una clara conciencia de lo americano y de lo latino, y una noble ambición de lograr las categorías de la cultura que hacen más digna y amable la vida individual y colectiva.

El cuadro de las efemérides nacionales constituye el mejor resumen de la historia de un pueblo. Las siguientes son las que Colombia conmemora:

scope of his work as Liberator, and the human and economic resources needed for the liberation of Perú and Bolivia, as well; the second, an apostle of revolutionary ideas; and the third, an organizer of civil society. Bolívar professed his democratic ideals in two memorable axioms; "I prefer the title of *citizen* to that of *Liberator*" and, "Morality and enlightenment are the two poles of a republic".

From 1819 to 1830, the country was combined with Venezuela and Ecuador to form the nation founded by the Liberator with the name of Colombia. From the latter date on, through the nineteenth and twentieth centuries, Colombia has steered a republican course, characterized by vicissitudes natural to a young nation eagerly seeking peaceful stability in her institutions and the proper development of her economic resources. Her greatest errors committed during this period were due principally to a failure to bear in mind the political programs and the historical perspectives laid down by her liberators.

But after all the revolutions, crises and changes of constitutions, there have remained unscathed a strong sense of national unity, a genuine democratic spirit, a clear awareness of the essence of the American and the Latin genius, and a noble ambition to achieve those levels of culture that make the life of the individual and the community more worthwhile and more pleasant.

An outline of national holidays is the best summary of the history of a people. The following are the national holidays celebrated by Colombia.

12 de octubre de 1492.—Al desembarcar en la mañana de este día en la Isla Guanahaní, el Gran Almirante incorpora a la civilización cristiana un vasto continente.

6 de agosto de 1538.—Jiménez de Quesada funda a Santa Fé de Bogotá en la misma sede capital de la nación chibcha y como acto culminatorio de la más importante campaña conquistadora del interior del país.

16 de marzo de 1781.—Exasperados por las cargas tributarias y por las arbitrariedades de los resguardos, los comuneros de Socorro y otras regiones del Nordeste del Virreinato iniciaron un vigoroso movimiento de protesta que culminó con una marcha multitudinaria hacia Santa Fé. El Virrey-Arzobispo Caballero y Góngora fue al encuentro de los manifestantes a la vecina ciudad de Zipaquirá con el propósito de celebrar con ellos unas capitulaciones, que ya dispersados los revolucionarios, el gobierno español desconoció. Se estima que, además de antecedente de la Independencia colombiana, este episodio representa uno de los primeros movimientos de justicia social en la historia del Continente.

20 julio de 1810.—Con motivo de una reyerta entre el español José González Llorente y los criollos Francisco y Antonio Morales, originada por un florero para adornar la mesa del Comisionado Regio Antonio Villavicencio, los sentimientos de inconformidad contra la actitud política de España se tradujeron en el movimiento cívico que determinó el establecimiento de una Junta de Gobierno en Santa Fé. No obstante haberse proclamado la Independencia, en una acta que contiene varios postulados de la Revolución Fran-

October 12, 1492.—Landing the morning of this day on the island of Guanahaní, the Great Admiral brought a vast continent into the Christian world.

August 6, 1538.—Jiménez de Quesada founded Santa Fé de Bogotá on the very site of the capital of the Chibcha nation and as the crowning act of the most important campaign in the conquest of the country's interior.

March 16, 1781.—Their patience exhausted by burdensome taxes and custom officials' arbitrary acts, the commoners of Socorro and other parts of the Northwest of the Viceroyalty began a vigorous protest movement that culminated in a march on Santa Fé. Viceroy-Archbishop Caballero y Góngora went out to meet the demonstrators at the neighboring city of Zipaquirá to come to terms with them, terms which the Spanish government refused to recognize once the rebels had dispersed. This episode is considered not only a prelude to Colombian Independence, but also one of the first campaigns for social justice in the history of the continent.

July 20, 1810.—Because of a quarrel between José González Llorente, a Spaniard, and Francisco and Antonio Morales, native Colombians, over a flower vase to decorate Councilman Antonio Villavicencio's table, general feelings of dissatisfaction with the Supreme Central Council of Spain crystalized into a civic movement leading to the establishment of a Governing Council in Santa Fé. Despite the fact that Independence had been declared, loyalty to the King of Spain, Ferdinand VII, the unfortunate sovereign who at the time was

cesa, se ratificó la lealtad al Rey de España, Fernando VII, el desgraciado soberano a la sazón prisionero de Napoleón.

11 de noviembre de 1811.—Cartagena proclamó la Independencia absoluta de España. Las demás provincias de la Nueva Granada siguieron su ejemplo.

7 de agosto de 1819.—Las armas libertadoras lograron una completa victoria en la Batalla de Boyacá. Esta acción que tuvo como decisivo antecedente el combate del Pantano de Vargas, librado el 25 de julio del mismo año, culminó la campaña militar iniciada en el Llano venezolano, que consistió en la fusión de las tropas de Bolívar y Santander y en el atrevido paso de los Andes del recientemente integrado Ejército Libertador, para sorprender a las fuerzas españolas que dominaban a la Nueva Granada. La Batalla de Boyacá determinó la independencia colombiana y dio base para que la organización republicana con sede en Bogotá proveyera a la liberación de Venezuela, Ecuador y Perú, lo cual aconteció con las batallas de Carabobo, Pichincha y Ayacucho, respectivamente.

17 de diciembre de 1830.—Después de haber renunciado al poder, Bolívar se dirigió a la Costa Atlántica, con el deseo de embarcarse para Europa. La enfermedad hizo aconsejable su traslado a Santa Marta, en cuya Quinta de San Pedro Alejandrino expiró, rodeado de un fiel grupo de amigos. En su última proclama manifestó que moriría tranquilo si cesaba la discordia fratricida y se consolidaba la unión.

6 de mayo de 1840.—El General Santander, fundador civil de la Re-

Napoleon's prisoner, was confirmed in a document containing several axioms of the French Revolution.

November 11, 1811.—Cartagena declared absolute independence from Spain. The other provinces of New Granada followed her example.

August 7, 1819.—The liberating armies won a complete victory in the Battle of Boyacá. This action, following closely up on the heels of the decisive engagement at Pantano de Vargas, which had taken place on the 25th of July the same year, brought to a climax the military campaign begun on the plains of Venezuela, a campaign which had consisted of the joining together of the forces of Bolívar and Santander, and the bold crossing of the Andes by the newly-formed Liberating Army in order to take by surprise the Spanish forces dominating New Granada. The Battle of Boyacá made Colombian independence a reality and provided a base for the republican organization, with headquarters in Bogotá, to attend to the liberation of Venezuela, Ecuador and Perú, which was brought about by the battles of Carabobo, Pichincha and Ayacucho, respectively.

December 17, 1830.—Having give up his powers, Bolívar betook himself to the Atlantic coast, where he planned to embark for Europe. Illness made it advisable for him to move to Santa Marta, where he died at the San Pedro Alejandrino estate, surrounded by a faithful group of friends. In his last proclamation he declared that he would die in peace if only fratricidal bloodshed might cease and the Union might be welded together.

pública, murió en esta fecha, después de haber realizado una vasta obra militar y política que se considera además de fundamental para la existencia institucional de Colombia, complementaria de la libertadora de Bolívar.

Las instituciones políticas

Colombia es una república unitaria cuyo poder público se expresa en las ramas ejecutiva, legislativa y judicial, y cuya organización está inspirada por un régimen de centralización política y descentralización administrativa.

La Constitución.—Una Carta Fundamental o Constitución señala la estructura jurídica del Estado colombiano y establece los grandes principios normativos que reflejan las condiciones esenciales del orden político, social y cultural de la nación. La Constitución vigente, expedida en 1886 y reformada varias veces, consagra el gobierno democrático y representativo, la independencia de las ramas del poder público y las relaciones institucionales entre ellas, la armonía de la Iglesia y el Estado, las libertades del ciudadano y el imperio de la moral cristiana, el respeto a la propiedad privada y la función social de la misma, la protección oficial del trabajo y la igualdad civil de nacionales y extranjeros.

La rama ejecutiva.—Tiene su más alto representante en el Presidente de la República, elegido popularmente para un período de cuatro años, quien ejerce las máximas funciones administrativas y reglamentarias, sanciona las leyes expedidas por el Congreso o las veta para que sean reconsideradas, dirige las relaciones internacionales del país y comanda

May 6, 1840.—General Santander, civil founder of the Republic, died on this date, after having carried out a vast military and political task which is considered not only fundamental to the establishment of the basic institutions of Colombia, but also complementary to Bolívar's work of liberation.

Political institutions

Colombia is a republic whose powers of state consist of executive, legislative and judicial branches, and whose organization is based upon the principle of political centralization and administrative decentralization.

The Constitution.—A Fundamental Charter or Constitution defines the juridical structure of the Colombian state and establishes the great governing principles which reflect the essential nature of the political, social, economic and cultural conditions of the nation. The Constitution presently in force, drawn up in 1886 and revised several times, provides for a democratic and representative government, separation of the powers of the state and institutional relations among them, a harmonious relationship between Church and State, civil liberties and the rule of Christian morality, respect for private property and its social role, official protection of labor and equality before the law of citizens and foreigners.

The Executive Branch.—The highest representative of the executive branch is the President of the Republic, elected by popular vote for a term of four years; he performs the chief administrative and statutory tasks of government, approves laws

las fuerzas militares a título de general en jefe. Para cumplir su vasto cometido dispone de un Gabinete de Ministros, de su libre nombramiento y remoción. Los Ministros, además de prestarle colaboración en los negocios administrativos, sirven de órgano de comunicación entre el Gobierno y el Congreso.

Los Ministerios del Despacho Ejecutivo en su orden son: Gobierno, Relaciones Exteriores, Justicia, Hacienda y Crédito Público, Defensa, Agricultura y Ganadería, Trabajo y Previsión Social, Salud Pública, Fomento, Minas y Petróleos, Educación, Correos y Telégrafos y Obras Públicas.

Las faltas temporales o definitivas del Presidente son llenadas por un Designado elegido por el Congreso para un período de dos años.

El representante de la rama ejecutiva en el Departamento es el Gobernador y en el Municipio, el Alcalde. El primero, nombrado por el Presidente de la República, es asesorado por un gabinete de secretarios y por una entidad de orden administrativo y elección popular, la Asamblea, encargada de estudiar y autorizar el Presupuesto Departamental. El Alcalde, nombrado por el Gobernador, encuentra asesoría y colaboración en el Consejo, o grupo de ediles elegido por el pueblo.

La rama legislativa.—El máximo representante de la rama legislativa es el Congreso Nacional, formado por el Senado y la Cámara de Representantes, cuyos integrantes son elegidos en forma directa por el pueblo: los senadores para un período de cuatro años y los representantes para uno de dos.

Función esencial del Congreso es

passed by the Congress or vetoes them for reconsideration, directs the nation's international relations and is Commander-in-Chief of the armed forces. To aid him in carrying out his heavy responsibility, he has a Cabinet of Ministers, who are freely appointed and removed by him. The Ministers, besides lending him assistance in administrative matters, act as a liaison between the administration and Congress.

The Ministries in the Executive Office are, in order: Department of the Interior, Foreign Relations, Justice, Treasury and Public Credit, War, Agriculture and Animal Husbandry, Labor and Social Security, Development, Mines and Petroleum, Education, Postal and Telegraph Service, and Public Works.

In the event of the President's temporary incapacitation or death, his duties are carried on by an appointee elected by the Congress for a two-year term.

The representative of the Executive branch at the Departmental (i. e., "state") level is the Governor, and, in municipalities, the Mayor. The former, named by the President of the Republic is assisted by a cabinet of secretaries and by the Assembly, a popularly-elected administrative arm of government charged with studying and approving the Departmental budget. The Mayor, appointed by the Governor, receives aid and cooperation from the Council, or group of aldermen, elected by the people.

The Legislative Branch.—The highest representative of the legislative branch is the National Congress, made up of the Senate and the House of Representatives, whose members

la elaboración de las leyes. El proyecto de ley, estudiado en las comisiones competentes y aprobado en los debates reglamentarios de cada cámara, pasa a la firma del Presidente de la República para sanción y promulgación.

Compete también al Congreso elegir al Designado a la Presidencia de la República y los Magistrados de la Corte Suprema, estos últimos de ternas presentadas por el Ejecutivo.

Al Senado corresponde la aprobación de los ascensos militares al grado de general y la rehabilitación de los derechos políticos. A la Cámara de Representantes compete fundamentalmente el examen y organización legal del Presupuesto de la Nación, tomando como base el proyecto presentando por el Ministerio de Hacienda. También elige al Contralor General de la República, encargado de velar por la ordenada, autorizada y correcta inversión de los fondos públicos.

La Cámara elige igualmente, el Procurador General de la Nación, cabeza del Ministerio Público, a quien corresponde fiscalizar la marcha de la administración ejecutiva y judicial.

Las sesiones ordinarias del Congreso se inician el 20 de julio de cada año. El Congreso Pleno o reunión de las dos cámaras en una sola, se efectúa para elegir al Designado o para dar posesión al Presidente de la República. El Presidente del Congreso es el Presidente del Senado.

La rama judicial.—Su máxima entidad representativa es la Corte Suprema de Justicia, última instancia de las decisiones judiciales, cuya misión primordial es velar por la in-

are directly elected by the people: senators for a term of four years, and representatives for two years.

The essential function of Congress is the passage of laws. Legislation, after study by the appropriate committees and passage following parliamentary debate in each of the two chambers, goes to the President for approval by his signature, and promulgation.

It is also the duty of the Congress to elect the President-Designate of the Republic and the Magistrates of the Supreme Court, the latter from slates of three candidates submitted by the Chief Executive.

The approval of military promotions up to the rank of General, and the restoration of political rights, are concerns of the Senate. The investigation and legal organization of the National Budget, based upon a bill submitted by the Ministry of the Treasury, is ultimately the duty of the House of Representatives. The House also elects the Comptroller General of the Republic, who is charged with the orderly, duly-authorized and proper investment of public funds.

The House also elects the Attorney General of the Nation, head of the Public Ministry of Legal Affairs, whose duty it is to watch over the functioning of executive and judicial administration.

Ordinary sessions of Congress begin on the twentieth of July each year. A Joint Session, or combined meeting of the two Chambers, is called to elect the President-Designate of the Republic, or to install him in office. The President of the Congress is the Presiding Officer of the Senate.

tegridad de la Constitución Nacional y por la unificación de la jurisprudencia. Para lo primero declara inexequibles las leyes contrarias a la Carta Fundamental; para lo segundo, concede el recurso de casación. Tiene además la facultad de revisión que ejerce excepcionalmente.

Dependiente de la Corte Suprema funcionan los Tribunales Superiores de Distrito, los Jueces de Circuito y los Jueces Municipales, que representan en lo civil, en lo penal o en lo laboral, las diferentes jurisdicciones e instancias de la organización judicial.

En los juicios contra el Presidente de la República, los Ministros del Despacho y los Magistrados de la Corte, la Cámara de Representantes asume el carácter de instructor y fiscal, quedando al Senado el papel de juez.

Como supremo tribunal contencioso-administrativo y máximo cuerpo consultivo del Gobierno existe un Consejo de Estado, cuyos miembros son elegidos en la misma forma que los Magistrados de la Corte Suprema.

División político - administrativa. Para facilitar la administración del país y atender las características y modalidades de las diferentes regiones, la nación se divide en departamentos y éstos en municipios. Las secciones del país que todavía no han cobrado la vitalidad económica y demográfica requerida para la creación de los departamentos, se denominan intendencias y comisarías, y su administración depende directamente del Ejecutivo central. Los Departamentos son: Antioquia, capital Medellín; Atlántico, capital Barranquilla; Bolívar, capital Cartage-

The Judicial Branch.—Its highest representative body is the Supreme Court of Justice, tribunal of last appeal in judicial decisions, whose prime mission is to safeguard the National Constitution and to assure the uniform application of the law. In the first case, it declares invalid laws conflicting with the Constitution; in the second, it grants the right of appeal for annulment. It has also the power of review, which it seldom exercises.

Subordinate to the Supreme Court are the District Superior Courts, Circuit Judges and Municipal Judges, which represent the various jurisdictions and levels of the judicial system in civil and penal cases, or in labor disputes.

In impeachment proceedings against the President of the Republic, Cabinet Ministers or Court Magistrates, the House of Representatives assumes the role of examining magistrate and prosecuting attorney, and the Senate, that of judge.

A Council of State, whose members are elected in the same way as the Magistrates of the Supreme Court, acts as the supreme litigious-administrative tribunal and highest advisory body of the government.

Political-Administrative Division.—To facilitate the administration of the country and to ensure proper attention to local characteristics and conditions of the various regions, the nation is divided into Departments and the latter, in turn, into Municipalities. Sections of the country that have not yet attained sufficient economic development or population to become Departments are called "intendencies" or "commissariates", and are administered directly

na; Boyacá, capital Tunja; Caldas, capital Manizales; Cauca, capital Popayán; Córdoba, capital Montería; Cundinamarca, capital Bogotá; Chocó, capital Quibdó; Guajira, capital Riohacha; Huila, capital Neiva; Magdalena, capital Santa Marta; Meta, capital Villavicencio; Nariño, capital Pasto; Quindío, capital Armenia; Norte de Santander, capital Cúcuta; Santander, capital Bucaramanga; Tolima, capital Ibagué y Valle del Cauca, capital Cali.

Las Intendencias son: Arauca, capital Arauca; Caquetá, capital Florencia y San Andrés y Providencia, capital San Andrés. Las Comisarías son: Amazonas, capital Leticia; Vaupés, capital Mitú; Vichada, capital Puerto Carreño; Putumayo, capital Mocoa y Guainía, capital San Felipe.

Por su importancia de capital de la República, sede de los poderes públicos y ciudad con sentido de síntesis de la nacionalidad colombiana se dio a Bogotá categoría de Distrito Especial. Su Alcalde Mayor es nombrado por el Presidente de la República.

Obligaciones y derechos del ciudadano.—Frente al Estado, el ciudadano colombiano es sujeto de una correlación de deberes y derechos que comprende principalmente en lo que a obligaciones concierne, contribuir por medio de la opinión y el voto en la escogencia de los gobernantes más capaces; pagar oportunamente los impuestos que se justifican para los fines de orden, progreso y bienestar comunes; prestar los servicios militar, electoral y judicial; el primero por medio del alistamiento en filas, el segundo merced a la concurrencia a los jurados de votación y el tercero, actuando como juez de conciencia en los procesos penales;

by the national executive. The Departments are: Antioquia, capital Medellín; Atlántico, capital Barranquilla; Bolívar, capital Cartagena; Boyacá, capital Tunja; Caldas, capital Manizales; Cauca, capital Popayán; Córdoba, capital Montería; Cundinamarca, capital Bogotá; Chocó, capital Quibdó; Guajira, capital Riohacha; Huila, capital Neiva; Magdalena, capital Santa Marta; Meta, capital Villavicencio; Nariño, capital Pasto; Quindío, capital Armenia; Norte de Santander, capital Cúcuta; Santander, capital Bucaramanga; Tolima, capital Ibagué and Cauca Valley, capital Cali.

The Intendencies are: Arauca, capital Arauca; Caquetá, capital Florencia; and San Andrés and Providencia, capital San Andrés. The Commissariates are: Amazonas, capital Leticia; Vaupés, capital Mitú; Vichada, capital Puerto Carreño; Putumayo, capital Mocoa; and Guainía, capital San Felipe.

Because of its importance as the capital of the Republic, the seat of political authority, and the city which is the true melting-pot of the nation, Bogotá was given the status of "Special District". Its Mayor is appointed by the President of the Republic.

Duties and rights of the citizen.—In his relationship to the state, a Colombian citizen is subject to a complex of duties and rights. Among the most important of his duties are: to participate, both by expression of opinion and by voting, in the choice of the best-qualified public officials; to pay at the proper time taxes necessary for the maintenance of general order, progress and welfare; to render military, electoral and judicial service —in the first case, by en-

colaborar con las autoridades en todas las iniciativas de orden cívico, y facilitar el imperio de la ley adaptando al concierto de la vida colectiva las manifestaciones de la conducta personal.

En lo que a derechos corresponde, los pertenecientes al régimen de las libertades democráticas y los característicos de la integridad de la persona y del domicilio, comprendidos bajo la denominación de *Habeas Corpus;* la facultad de elegir y de ser elegido en los puestos representativos, o de ser nombrado en los cargos de la administración, con el lleno de los requisitos legales; el derecho a gozar cabalmente de los beneficios de las agencias y establecimientos oficiales y de dirigirse a las autoridades, lo cual supone por parte de ellas una oportuna y adecuada respuesta y el derecho de criticar los actos del gobernante y de acusar todas las normas, a excepción de los preceptos de la Carta Fundamental: las leyes por anti-constitucionales y los decretos y otras providencias, por ilegales.

La anterior correlación está dominada por el principio de que en caso de colisión que perjudique gravemente la colectividad, el interés privado debe ceder ante el público, con la indemnización respectiva, cuando ella sea posible o se justifique moral y jurídicamente.

La composición racial

Durante el período colonial se inició el proceso evolutivo de la raza colombiana en la cual predominan el blanco y el mestizo y que con el paso de los años se orienta hacia un

listing in the armed forces; in the second, by taking part in the work of election boards; and in the third, by jury duty in penal cases— to cooperate with the authorities in all civic endeavors, and to assure the rule of the law by adhering, in his personal conduct, to the rules of society.

Among the Colombian citizen's rights are those liberties normally accorded the individual under democratic rule and those guarantees of the inviolability of the citizen's person and home generally comprised within the concept of *Habeas Corpus;* the right to elect and to be elected to representative office, or to be appointed to administrative posts, as provided by law; the right to make full use of the services of official agencies and establishments and to address the authorities, who are, for their part, duty bound to reply promptly and adequately; the right to criticize the acts of any governing official and to question any law, with the exception of the provisions of the Basic Charter. The Colombian citizen may attack laws as unconstitutional and decrees and other provisions as illegal.

The relationship of the citizen to the State, as described above, is ruled by the principle that, in the event of a conflict of interest threatening serious harm to society, private interest must yield to public, a proper indemnity being granted whenever possible, or whenever it may be morally and legally justified.

Racial composition

It was during the colonial period that the evolutionary process of moulding the Colombian race had

resultado armónico y con ventaja de síntesis, lo cual ha sido posible merced al arraigado implantamiento de las ideas democráticas y a la igualdad ante Dios y ante la ley, que excluye por completo las discriminaciones.

La Raza.—En la composición racial de Colombia es menester combinar los factores indio, español y negro, en forma binaria y ternaria, según las regiones.

La proporción actual de la población colombiana según el Atlas de Economía Colombiana del Banco de la República de 1963, es la siguiente:

Raza blanca pura, 20% de la población total.

Raza negra pura, 6% de la población total.

Raza india pura, 2.2% de la población total.

Mulatos (combinación de blanco y negro) 24% de la población total.

Mestizos (mezcla de indio y blanco) 47.8% de la población total.

Como puede apreciarse en Colombia no existe el problema indígena, característicamente agudo en otras naciones de la América; en su territorio hay unidad de lengua, de religión y de cultura, y todos sus habitantes ejercen la plenitud de sus derechos constitucionales. Tampoco existe la discriminación de razas.

Teniendo en cuenta, por otra parte, que, debido a las uniones realizadas durante cuatro siglos y medio, y a la victoriosa penetración de las ideas democráticas, hoy día puede considerarse con carácter de promedio la existencia de un nuevo y generalizado producto antropológico que lleva la representación de los tres primitivos elementos raciales, en la

its start. Predominant are the whites and the mestizos and with the passage of time these two groups are moving toward a harmonious consolidation which, besides the advantage offered by its synthesis, has been responsible for the firm establishment of democratic ideas and the concept of equality before God and the Law, and as a result of which, racial discrimination is virtually nonexistent.

The Race

Three factors enter into the composition of the Colombian race: the Indian, the Negro, and the Spaniard, and depending upon the particular region in question it is necessary to combine two, and at times all three, of these factors.

The actual proportion of the Colombian population (Atlas de Economía Colombiana-1963), is the following:

Pure white 20% of the total population
Pure negro 6% of the total population
Pure indian 2.2% of the total population
Mulatto (white + negro) 24% of the total population
Mestizo (indian + white) 47.8% of the total population

In Colombia the indigenous problem, so characteristic of other Latin-American countries, does not exist. Within Colombia's territory there is unity of language, religion and culture, and all her citizens, regardless of race or color, exercise their constitutional rights to the fullest extent.

Because of the intermingling during four and a half centuries and the penetration of democratic ideas, there has developed a new human type, embodying characteristics of the three primitive races. This new

forma de un mestizaje de avanzada evolución.

Características del colombiano. Las características del hombre colombiano pueden significarse así:

a) Su amor a la tierra y a la tradición, que determina el hondo sentimiento de la nacionalidad, y el arraigo a los caros lares, que no se opone al magnánimo sentido con que recibe a los extranjeros;

b) Su sentido romántico de la vida, con modalidades de vigor sentimental y riqueza imaginativa. Este romanticismo esencial, que ni engendra letargo, ni se opone a la actividad creadora, es ante todo consecuencia de la naturaleza asombrosa y cambiante que lo rodea;

c) Su conciencia política, debida principalmente a la intensidad de las luchas civiles del siglo XIX y a la sistemática explicación que sobre los alcances de la libertad se inició a raíz de la Independencia, con una metódica campaña educativa, estimulada oficialmente;

d) El sentido de igualdad y de justicia y el carácter civilista que se traduce en permanente ánimo jurídico, a veces exagerado en la forma de inclinación litigiosa, que tienen su origen en la condición de abogado del más importante de los conquistadores del Nuevo Reino de Granada, Gonzalo Jiménez de Quesada, y alcanza notables antecedentes en la obra de Santander, llamado por Bolívar "el Hombre de las Leyes", y en la de Camilo Torres, que en 1809 fijó en términos de derecho el alcance de la emancipación hispanoamericana, al finalizar así su Memorial de Agravios: "¡Igualdad! Santo derecho que estribas en esto y en dar a

type of man, product of a long evolution of racial mixture, gives to the Colombian people the unity that springs from a harmony of diversities.

Characteristics of the Colombian

Some of the outstanding characteristics of the Colombian are the following:

a) His love for the land and for tradition which motivates his strong nationalistic feeling and his devotion to his home land, but in no way detracts from the magnanimous welcome he extends to foreigners.

b) His romantic outlook on life, marked by strong feeling and rich imagination. This basic romanticism does not lead to lethargy, nor hinder creative activity; it comes largely from the astonishing and everchanging Nature which surrounds him.

c) His political consciousness, due principally to the intensive civil strife during the nineteenth century and to the systematic campaign of instruction on values of liberty which began in the time of Independence and has been carried on, with official support, ever since.

d) His sense of equality and justice and his awareness of civic responsibility, which result in a permanent juridical spirit, exaggerated at times in the form of an unnecessarily large number of law suits. This juridical spirit can be attributed to the fact that the most important conquistador, Gonzalo Jiménez de Quesada, was a lawyer. This spirit also descends notably from the work of Santander, called by Bolívar "the man of law" and from that of Camilo Torres, who in 1809 set down in legal terms the achievements of

cada uno lo que es suyo: inspira a la España europea estos sentimientos de la España americana...".

e) El espíritu religioso que, además de proclamar la familia como base insustituíble de la organización social, ha erigido en cada lugar un templo y encabezado la Carta Constitucional con el nombre de Dios. Don Marco Fidel Suárez expresó magistralmente del siguiente modo la orientación cristiana de Colombia: "Cristo es la causa más fecunda de civilización, bajo el concepto de las ciencias, de las artes y de las virtudes; es cabeza y vida de su Iglesia, así como salud de las sociedades y la base más sólida de los estados y su mejor pacificador y maestro".

f) Su devoción por las letras y las manifestaciones estéticas y su inclinación por el esmerado cultivo del idioma castellano, pues, al decir del egregio filólogo don Rufino Cuervo, "nada simboliza tan cumplidamente la Patria como la lengua; en ésta se encarna cuanto hay de más dulce y caro para el individuo y la familia".

Posición internacional de Colombia

El proceso de vinculación internacional de Colombia, sigue en líneas generales, la escala de asociación del hombre que comienza por la familia, continúa con la sociedad local y culmina con la comunidad nacional. Quiere decir esto que siguiendo un proceso de integración, la concepción colombiana de los ámbitos internacionales asocia y armoniza la triple tradición del país como miembro del conjunto bolivariano de naciones, de la Organización de Estados Americanos y de la Organización de Naciones Unidas, sin que aquello signifique confusión o desnaturaliza-

Hispanic-American emancipation in his "Memorial de Agravios".

"Equality! Hallowed Law, based upon equality and giving to each that which is his: with these ideas from the American Spain inspire the European Spain".

e) His religious spirit, which, besides proclaiming the family as the irreplaceable base for Society, has erected churches everywhere and has begun the Constitution in the name of God. Don Marco Fidel Suárez aptly expressed Colombia's Christian orientation: "Christ is the most fecund cause of civilization as understood within the concepts of Science, Art and Virtue; he is the head and the life of the Church, and, in like manner, the health of Society and the most solid base, the best peacemaker and teacher of States".

d) His devotion to literature and art and his inclination toward the cultivation of his native tongue, Spanish. In the words of the eminent philologist, don Rufino Cuervo: "Nothing is so symbolic of a nation as its language; in it is embodied that which is sweetest and dearest to the individual and to the family".

Colombia and international relations

In the sphere of international relations, Colombia follows the broad lines of the scale of association between men, beginning with the family, expanding into the local society, and culminating in the national community. This means that the Colombian concept of international relations, following a process of integration, fits harmoniously with the three-fold tradition of the country as a member of the Bolivarian group

ción de los problemas propios de cada uno de estos tres ámbitos, ni menos que disminuya su aprecio por las valiosas relaciones de orden bilateral con otra nación determinada. Por el contrario, Colombia entre todas las naciones latinoamericanas se ha distinguido por su esmerado empeño en mantener ordenadas, fecundas y constantes relaciones con las naciones amigas del orbe, en especial las que en la hora presente representan la comunidad cristiana occidental. Así mismo, desde los orígenes de su vida republicana se ha preocupado por arreglar los asuntos limítrofes y por establecer vínculos perdurables con todas las naciones de la América y en general con las del resto del orbe, por medio de Tratados de amistad y comercio, que no sólo sirvan para encauzar los intercambios de orden económico, sino también los políticos y culturales.

La vecindad, la comunidad de origen y de independencia y la semejanza de rasgos culturales, determinan el ánimo colombiano de concurso con las demás naciones de la América Latina, en especial con las bolivarianas.

Razones de posición geográfica, de semejanza histórica y cultural y de solidaridad y defensa colectiva, sustentan el convencimiento de que el Nuevo Mundo es un baluarte de la civilización cristiana occidental, y con su dinámica juventud, tiene la suprema misión histórica de contribuir al descubrimiento de un futuro mejor para la humanidad, explican que Colombia profese con fervor los comunes ideales de América y haya dado su decidido respaldo a la Organización de Estados Americanos.

La sincera adhesión de Colombia

of nations, the Organization of American States, and the United Nations, without any confusion or falsification of the problems proper to each of these three spheres, and without any loss of appreciation for worthwhile bi-lateral relations with any country. On the contrary, Colombia has distinguished itself among the Latin-American nations by its constant effort to maintain orderly, fruitful and consistent relations with friendly nations around the world, especially those of the Western Christian Community. Thus, since the beginnings of republicanism in the country, it has endeavored to regulate its affairs with neighboring countries and to establish durable links with all the countries of America, and, in general, with the rest of the world, by treaties of friendship and commerce, which serve not only to provide channels of economic interchange, but also of political and cultural exchange.

Contiguity, a common origin and independence, and similarity of cultural traits, inspire the Colombian spirit of collaboration with other Latin-American nations, especially those of the Bolivarian group. Motives of geographical location, of similarity of history and culture, and of solidarity and collective defense, justify the conviction that the New World is a bulwark of Western Christian civilization, and that, with its dynamic youthfulness, it has the great historical mission of contributing to the discovery of a better future for humanity. These same motives explain why Colombia fervently supports the common ideals of the Americas and gives decisive

a la Organización de Naciones Unidas, se debe a la certidumbre de que la existencia de esta entidad no sólo se justifica como Asamblea en la cual ventilar eventualmente los problemas de orden internacional que causen inquietud al mundo, sino que ella se impone como institución fundada sobre una sólida filosofía y orientada a cristalizar, por intermedio de los voceros de los diferentes Estados miembros, los anhelos de paz, justicia, progreso y armonía de la humanidad entera.

Los símbolos nacionales

Los símbolos nacionales de Colombia son el nombre, la bandera, el escudo, el himno, el árbol y la flor.

El nombre de Colombia.—En sus sueños libertarios, Miranda imaginó que el conjunto de las futuras naciones libres de América se llamaría Colombia, como homenaje de desagravio a Colón, cuyo nombre, por obra de los cartógrafos humanistas del siglo XVI, no amparó las tierras del descubrimiento.

En la Carta de Jamaica, de 1815, Bolívar bautizó proféticamente Colombia al principal núcleo de su obra emancipadora. Cuatro años más tarde así se llamaba, efectivamente, el Estado compuesto por los antiguos territorios del Virreinato de la Nueva Granada, la Capitanía General de Venezuela y la Presidencia de Quito. Disuelta la Gran Colombia, la denominación bolivariana desapareció por algún tiempo, y sólo en 1863 volvió a figurar, cuando se cambió en Estados Unidos de Colombia la Confederación Granadina. En 1886 la Asamblea Nacional Constituyente dispuso que la república reconstituída en forma unitaria se llamara Co-

support to the Organization of American States.

The sincere adherence of Colombia to the United Nations is based on the conviction that the existence of the organization is justified not only as an assembly in which to voice the international problems which disturb the world, but also as an institution founded on a solid philosophy and so organized as to crystallize, by means of the representations of the various member states, the desires for peace, justice, progress and harmony of all humanity.

National symbols

The national symbols of Colombia are its name, its flag, its anthem, the national tree, and the national flower.

The name of Colombia

In his dreams of freedom, Miranda imagined that the future free nations of America would be called Colombia in order to compensate for the affront to Columbus, whose name was not given to the lands he discovered because of the errors of the cartographers of the sixteenth century.

In his "Letter from Jamaica" in 1815, Bolívar prophetically baptized those territories which formed the nucleus of his emancipating efforts with the name of Colombia. Four years later, the region composed of the "Virreinato de la Nueva Granada", "La Capitanía General de Venezuela", and "La Presidencia de Quito", did, in fact, take the name of "La Gran Colombia". When "La Gran Colombia" was dissolved, it lost the name given it by Bolívar. For some time it was known as the

lombia, para acatar la voluntad del Libertador e instituir un perenne homenaje al Gran Almirante.

La Bandera.—La Bandera de Colombia fue ideada por el Precursor de la independencia americana Francisco de Miranda, quien posiblemente se inspiró en los colores del escudo de Colón. Según el testimonio de James Biggs, flotó por primera vez a bordo del bergantín "Leandro", durante la infortunada expedición militar de 1806, destinada a la liberación de Venezuela. De sus colores, amarillo, azul y rojo, dispuestos en fajas horizontales, corresponde al amarillo una zona más ancha.

La bandera de Miranda se convirtió con el tiempo en la de Bolívar. En 1819 fue emblema de la Gran Colombia, creación política que aún disuelta dejó la constancia de un común patrimonio histórico en los pabellones de Venezuela, Nueva Granada y Ecuador. Con simples cambios accidentales, Colombia ha conservado como suyo el oriflama original de Miranda, a través de los diferentes sistemas de gobierno y cambios constitucionales.

El Escudo.—El escudo nacional fue adoptado en 1834 por el Congreso de la Nueva Granada. Se divide en tres fajas horizontales: en la primera, de fondo azul, aparece una granada entreabierta entre dos cuernos de la abundancia que derraman los pródigos dones de la naturaleza nacional; en la segunda, sobre el fondo de platino, surge en la punta de una lanza el gorro frigio, emblema universal de la libertad; en la tercera se advierte un istmo, significativo de la privilegiada situación geográfica de Colombia. Un navío con las

"Confederación Granadina", but in 1793 it again adopted a name which would serve as a reminder of its discoverer: "The United States of Colombia". In 1886 the National Constitutional Assembly declared that the Republic, reconstructed according to unitary principles of government, would be called "Colombia", thus following the wishes of the "Liberator" by paying eternal homage to the "Great Admiral", Columbus.

The flag

Colombia's flag was designed by the precursor of American independence, Francisco de Miranda, who quite possibly had been inspired by the colors of Columbus' coat of arms. The flag was flown for the first time from the mast of the bergantine "Leandro", during the unfortunate military expedition of 1806, which had planned to liberate Venezuela.

The flag is composed of three bands of color: blue, red and yellow, the latter occupying a band of double width.

The banner of Miranda became the banner of Bolivar, who bequeathed it to Gran Colombia, for which reason it is today the national standard of Colombia, Venezuela, and Ecuador.

The seal

The national seal was adopted in 1834 by the Congress of Nueva Granada. It is divided into three horizontal zones: in the first zone there appears an open pomegranate, placed between two cornucopias which overflow with the nation's prodigious natural gifts; in the second zone, over a platinum background,

velas desplegadas surca cada uno de los mares que separa. El escudo de forma helvética, está escoltado por dos banderas en cada uno de los lados, que se recogen hacia el sur de la figura en un solo golpe de pendón, y está presidido por un cóndor que lleva en el pico una corona de laurel y sostiene en la garra una cinta con el lema "Libertad y Orden", supremo precepto de la democracia colombiana.

El Himno.—La letra del Himno Nacional fue escrita por el Presidente Rafael Núñez, y la música compuesta por el maestro Oreste Sindici. Se cantó por vez primera en Bogotá, el 11 de noviembre de 1887, durante una velada en honor de Cartagena. La letra se refiere a la alegría del pueblo libertado de la tiranía y a los gloriosos episodios de la guerra de independencia.

Durante el siglo XIX muchos fueron los intentos de dotar al país de una canción nacional insignia, y a esta iniciativa se vincularon varios extranjeros. La combinación poética y musical del insigne hijo de Cartagena y del afortunado compositor italiano, encontró eco decisivo en el oído del pueblo. En 1920 el Congreso adoptó este himno como el oficial de de la república.

La flor y el árbol nacionales.—La flor de Colombia es la orquídea, y para efectos de representación de su naturaleza se usan indistintamente la Catleya Trianae o Dowiana o Aurea. El árbol nacional es la palmera de cera Ceroxylon Quindiuense, que crece en las regiones del Quindío, en una altura media de dos mil quinientos metros sobre el nivel del mar.

is placed a Phrygian helmet supported by the point of a lance, the universal emblem of liberty; and in the third is an isthmus, symbolizing Colombia's priviledged geographic location. A ship with open sails cuts through each of the seas, which are separated by the isthmus. The seal is in the form of the Helvetic coat of arms, and is flanked on either side by two flags, which join at the bottom to form a single banner. The seal is crowned by the figure of a condor, carrying a laurel wreath in his beak and grasping with his talons a ribbon with the motto, "Liberty and Order", the supreme precept of Colombian democracy.

The anthem

The words of the national anthem were written by President Rafael Núñez, and the music was composed by Maestro Oreste Sindici. It was sung for the first time in a celebration in honor of Cartagena. The words express the joy of the people after being liberated from tyranny and relate the glorious episodes of the war of independence.

The national flower and the national tree

Colombia's national flower is the orchid, and for purposes of representation three varieties are used interchangeably; Catleya Trianae, Catleya Dowiana, and Catleya Aurea. The national tree the "Palmera de cera" (Ceroxylon Quindiuense) which grows in regions near Quindío at an average elevation of 2,500 meters.

LABRADOR DE LA SABANA DE BOGOTA
FARMER OF THE SAVANNA OF BOGOTA
Fot. Acuña

MESTIZA CAMPESINA
CREOLE COUNTRY GIRL
Fot. Acuña

ALEGRIA POPULAR
A HAPPY PEOPLE
Fot. Hernán Díaz

EL HIMNO NACIONAL
NATIONAL ANTHEM
Cortesía del C. E. C.

ANTIOQUEÑOS

ANTIOQUIANS

Fot. Guillermo Angulo

PERSONAJE CALLEJERO
STREET MERCHANT
Fot. Hernán Díaz

Capítulo III

PANORAMA GEOGRAFICO

Situación continental

El científico Eliseo Reclus llamó a Colombia "piedra angular de Suramérica". El país tiene, en verdad, una decisiva importancia geográfica. Situada en el extremo noroeste de la América del Sur, entre los 12° 30′ 40″ de latitud norte hasta los 4° 13′ 30.2″ de latitud sur, y desde los 66º 50′ 54.2″ hasta los 79º 01′ 23.1″ al oeste del meridiano de Greenwich, por el Norte limita con el mar de las Antillas; por el Sur con Ecuador y Perú; por el Este con Venezuela y Brasil; por el Oeste con el Océano Pacífico y por el Noroeste con Panamá.

Superficie y población

La extensión del país es de 1.139.155 kilómetros cuadrados, y su mayor longitud mide 1.800 kilómetros, desde la parte más eminente de la Península de La Guajira hasta Puerto Leticia, en el río Amazonas. Su población es de 18.000.000 de habitantes, de los cuales un 45% corresponde al medio rural. La densidad de la población es de quince habitantes por kilómetro cuadrado. Los Departamentos más densamente poblados son los de Atlántico, Cundinamarca y Caldas, con 202, 121 y 112 habi-

Chapter Three

GEOGRAPHIC PANORAM

Continental situation

The scientist Eliseo Reclus called Colombia "the corner stone of South America". The country is, in fact, of crucial geographical importance. Situated at the extreme North-East of South America, it lies between latitudes 12° 30′ 40″ N. and 4° 13′ 30.2″ S., and longitudes 66º 50′ 54.2″ W. and 79º 01′ 23.1″ W. To the North lies the Caribbean Sea; to the South, Ecuador and Perú; to the East, Venezuela and Brazil; to the West, the Pacific Ocean; and to the North-West, Panamá.

Area and population

The country has an area of 440,550 square miles. Its population is 18,000,000 inhabitants, 45% of whom live in rural areas. The population density is about 15 persons per square kilometer.

The most densely populated Departments are Atlántico, Cundinamarca and Caldas, with 202, 121 and 112 inhabitants per square mile respectively.

Coasts and mountains

The coasts are of decisive importance for the country, being over

tantes por kilómetro cuadrado, respectivamente.

Costas y montañas

Si en el contorno del territorio nacional tienen decisiva importancia los litorales, con más de la tercera parte de un perímetro de 9.242 kilómetros, y accidentes tan favorables a la navegación y al intercambio comercial como las amplias, profundas y tranquilas bahías de Santa Marta y Cartagena en el Atlántico, y Solano, Buenaventura y Tumaco en el Pacífico, en la conformación del suelo nacional los Andes dominan e imponen el contraste geográfico.

El gran sistema que entra al país por la región de Nariño, se bifurca en el Nudo de los Pastos, y a la altura del pueblo de Almaguer, en el Macizo Colombiano da salida a una nueva rama, quedando así conformadas las tres grandes Cordilleras: la Occidental, que sigue paralela al Pacífico y cerca del litoral Caribe se subdivide en los ramales de Abibe, San Jerónimo y Ayapel; la Cordillera Central, que sigue paralela a la anterior y muere cerca de la confluencia del río Cauca en el Magdalena, y la Cordillera Oriental, que avanza por el corazón del país, forma la alta meseta de Bogotá y continúa en dirección de Venezuela. A esta rama corresponden, aunque con solución de continuidad, la imponente Sierra Nevada de Santa Marta y la también singularmente rica en fauna y flora Sierra de la Macarena.

Las máximas alturas corresponden a la Sierra Nevada (5.775 metros) y a los Nevados del Huila (5.750 metros), Tolima (5.215 metros), Santa Isabel, Ruiz y Herveo (los tres, con

1,800 miles long and having such favorable factors for navigation and commercial interchange as the wide, deep, peaceful bays of Santa Marta and Cartagena on the Atlantic, and those of Solano, Buenaventura and Tumaco on the Pacific. But in the geographical structure of the country it is the Andes that dominate and offer the most striking contrasts.

This great mountain system enters the country in the region of Nariño, and near the village of Almaguer in the Department of Cauca it divides into three great branches: the Western Cordillera, which continues parallel to the Pacific and near the Caribbean Coast divides into three branches: Abibe, San Jerónimo and Ayapel; the Central Cordillera, which follows the left bank of the River Magdalena and ends near the Savannas of Córdoba and Bolívar; and the Eastern Cordillera which extends into the heart of the country, forms the high tableland known as the Meseta of Bogotá, and continues toward Venezuela. After a break in continuity, this branch again rises up in the North to form the magnificent Sierra Nevada of Santa Marta and Sierra de la Macarena.

The country's highest peaks are the Sierra Nevada (18,961 ft.) and the snow-capped mountains of Huila (17,844 ft.) and Tolima (16.207 ft.). There are also two other peaks, Santa Isabel and Ruiz, each of which is higher than 16,000 feet above sea level. The most important volcanos are Cumbal, Chiles, and Galeras.

Rivers and lakes

In the direction of the Atlantic flow three great rivers: the Atrato,

más de 5.000 metros de altura sobre el nivel del mar). Los volcanes más importantes son el Cumbal (4.764 metros), El Chiles (4.748 metros) y el Galeras (4.268 metros).

Ríos y lagunas

Corren caudalosos, en dirección del Atlántico, el Atrato, el Sinú, y el Magdalena, (que se acrecienta con la poderosa contribución del Cauca); desembocan en el Pacífico el San Juan, el Dagua y el Patía; buscan el Orinoco el Arauca, el Meta, el Vichada, el Guaviare que recibe el Inírida, y van al Amazonas, que baña tierras de Colombia, el Vaupés, el Caquetá y el Putumayo. Casi todos estos ríos son navegables en su mayor parte.

La ciénaga de mayor extensión es la de Zapatoza, en el Departamento del Magdalena. Las lagunas más notables son la de la Cocha, en la Comisaría del Putumayo; la de Tota, en Boyacá y la de Fúquene, en el norte de Cundinamarca.

El Río Magdalena

El Magdalena corre de sur a norte del país, por entre las Cordilleras Central y Oriental, dividiendo en dos grandes zonas el territorio nacional. Aunque no es el más caudaloso, es sin embargo el de mayor importancia para la vida económica colombiana. Nace en la Laguna de la Magdalena, y después de 1.542 kilómetros de curso entrega su corriente al Atlántico por el sitio denominado Bocas de Ceniza, que ha sido canalizado para hacer posible la llegada de buques marítimos de gran calado hasta el puerto fluvial de Barranquilla. El río está dividido por el Salto de Honda en dos partes: Alto Mag-

the Sinú, and the Magdalena, the power of the last still further increased by its powerful tributary, the Cauca. The San Juan, the Dagua and the Patía flow into the Pacific. The Arauca, the Meta, the Vichada, the Guaviare with the Inírida all flow into the Orinoco, and the Vaupés, the Caquetá and the Putumayo seek the Amazon, part of which lies within Colombian territory. The majority of these rivers are navigable for the greater part of their courses.

The most extensive marshland is that of Zapatoza in the Department of Magdalena. The largest lakes are Lake Cocha in the Commissariate of the Putumayo, Tota in Boyacá, and Fúquene in the north of Cundinamarca.

The Magdalena River

The Magdalena flows from the south to the north, between the Central and the Eastern Cordilleras, dividing the national territory into two great zones. Though not the largest, it is undoubtedly the most important Colombian waterway. It rises in Magdalena Lake and flows 965 miles before entering the Atlantic at Bocas de Ceniza, which has been channelled so that ocean-going vessels of large draught can reach the river-port of Barranquilla.

The Honda Rapids divide the river into two parts: the Upper Magdalena, partly navigable to small ships, and the Lower Magdalena, navigable throughout its course.

The Magdalena has been of prime importance to Colombia's progress, for since the days of Jiménez de Quesada it has been the inevitable

dalena, navegable parcialmente por barcos pequeños, y Bajo Magdalena, navegable en toda su extensión.

El Magdalena ha tenido una decisiva importancia para el progreso de Colombia, debido a que desde la época de Jiménez de Quesada ha sido camino obligado de la civilización, y la ruta que han usado los agentes culturales, económicos y políticos, para establecer el enlace vital entre la costa atlántica y el interior del país. Su afluente, el Cauca, ha desempeñado valiosas funciones de relación entre las distintas comarcas del occidente colombiano, además de significar un factor esencial de la economía de dichas regiones.

División geográfica

Geográficamente, el país puede dividirse en tres formas.

En razón de la importancia del río Magdalena, en Oriente y Occidente.

En relación con las grandes atmósferas antropo-geográficas, en Costas, Andes y Llanos. Por motivos de ambiente propicio, en las primeras se cumple la casi totalidad de la vida nacional. La tercera, escasamente poblada, también está integrada por las inmensas selvas de la Orinoquia y de la Amazonia, situadas en los territorios del Vichada, Vaupés, Caquetá, Putumayo y Amazonas.

Finalmente y teniendo en cuenta que, en materia de clima, en Colombia, rige la altitud, en tierras frías, medias y cálidas, estas tres clases de zonas determinan diferencias antropogeográficas muy apreciables y establecen, además, la variedad y singularidad de la naturaleza colombiana.

Tierras frías

Comprenden las altas comarcas que gozan de una temperatura que

thoroughfare taken by civilization, by cultural, economic and political agents, to establish a vital link between the Atlantic coast and the interior. Its tributary, the Cauca, is a vital route connecting the provinces of Western Colombia, besides being of great economic importance to this region.

Geographic division

Geographically the country can be divided in three ways. Due to the importance of the Magdalena, it can be divided into two regions: west and east of the Magdalena. From the viewpoint of population density and anthropogeographic factors it can be divided into the Andean Region, the Coast Region, and the Plains Region. The former, because of its more suitable climate, embraces almost the whole of the nation's life and activity. The latter, sparsely populated, includes the extensive forests of the Orinoco and the Amazon and the territories drained by the Vichada, the Vaupés, the Caquetá and the Putumayo rivers.

Finally, in view of the climatic importance of Colombia's varying altitudes, the country can be divided into cold, moderate and hot lands. These three zones show considerable anthropo-geographical differences and determine the variety and singularity of Nature in Colombia.

The cold lands

These are the highlands whose temperature varies between 60° F. and the glacial temperature of the mountain moorlands. The majority of the highlands are healthy regions, free from mosquitos and suitable for the production of cereals

oscila entre 18° centígrados y los glaciales aires de los páramos. Son en gran parte las regiones de mayor salubridad, debido a la ausencia de mosquitos y también las mas favorecidas por la excelente calidad de cereales y ganados. Su habitante usa vestidos abrigados y muestra en el rostro huellas de las brisas serranas, secas y tonificantes. Serio e introvertido, busca, al calor del hogar, los episodios de su recreo y perfeccionamiento intelectual. El campesino de estas zonas es esencialmente laborioso, cuida con esmero de sus labranzas y rebaños, siendo en general un diestro tejedor y un hábil alfarero.

Ejemplos característicos de las regiones frías son la Mesa o Sabana de Túquerres y la Sabana de Bogotá. La primera está situada en el macizo inicial de los Andes, en el Departamento de Nariño. Bajo una atmósfera grata y transparente, revela el laborioso esfuerzo de esperanzados campesinos que labran la tierra con primor, guardan útiles y centenarias tradiciones agrícolas y ordenan su vida social de acuerdo con las fases del cultivo de la papa y del maíz. La segunda es una planicie a los 2.600 metros sobre el nivel del mar, que además de su gran fertilidad posee una singular hermosura. Las ventajas del clima y la bondad de la tierra explican por qué esta meseta fue elegida por los chibchas para establecer en ella la sede de su reino y por qué actualmente allí existe el centro urbanístico, intelectual y político más importante de Colombia, su capital, a pesar de encontrarse a mil kilómetros del océano y al final de una serie de formidables obstáculos naturales. Con sus trigos, sus ganados, sus casas custodiadas por

and cattle of excellent quality. The inhabitants dress warmly, and their faces show the tonic effects of the dry mountain breezes. These people are serious and introvert, seeking their amusement and intellectual life in the shelter and warmth of the home. The peasant of these regions is hard-working, taking great care of his crops and flocks, and is often as well a skillful weaver or a clever potter.

Characteristic examples of the cold zones are the Mesa of Túquerres and the Savanna of Bogotá. The former is situated in the Department of Nariño, in the initial Andean massif. Here under the clear, transparent sky, the peasants till the land diligently, using ancient but useful agrarian traditions, and organizing their social life according to the cultivation cycle of the potato and the maize. The Savanna of Bogotá is a beautiful as well as fertile plain some 8,000 feet above sea level. The advantages of its climate and the fertility of its soil explain why the Chibchas established their empire here, and why in the present day the most important urban, intellectual and political center in Colombia, the nation's capital, is found here, in spite of the fact that it is a thousand kilometers from the sea, at the end of a series of formidable natural barriers. With its wheat, its cattle, its houses sheltered by tall trees, and its idyllic countryside it recalls now the Argentine pampas, now the fields of Normandy, now the Plains of Castile.

The temperate lands

These are the lands on the mountain slopes, whose temperature rang-

altas arboledas, sus parajes de égloga y sus paisajes adustos, la Sabana evoca unas veces la pampa argentina, otras la campiña normanda y otras la llanura de Castilla.

Tierras medias

Abarcan las vertientes de las cordilleras que gozan de temperaturas que oscilan entre los 18° y los 23° centígrados. La agricultura, difícilmente realizada, merced al terreno quebrado, es su principal industria. Reside en ellas la mayor parte de la población rural y se registra de manera predominante el minifundio, hasta el punto de que la visión del agro semeja un vasto y multicolor tablero de ajedrez. El café suave es el producto típico de las tierras medias. El morador de las zonas templadas es festivo, acogedor y amorosamente apegado a la tierra; por lo general pequeño propietario, además de su parcela intensamente cultivada y de su rústica casa que rodean pequeños huertos y jardines, posee los animales domésticos indispensables para la faena cotidiana. Con razón se ha dicho que la colombiana es por excelencia una cultura de vertiente.

Regiones representativas de las tierras medias son las vertientes de Caldas y Antioquia y el pintoresco Valle de Tenza. Las vertientes de Caldas o del Quindío, constituyen la mayor concentración de la producción cafetera del país y son modelos de organización agraria por el juicioso aprovechamiento de la parcela familiar, el alegre y limpio estilo de la vivienda y el vigoroso sentido de cooperación y progreso.

Las vertientes antioqueñas son comarcas ejemplares de Colombia, porque a pesar de haber sido poco

es between 60° and 80° F. Agriculture is the main occupation though the rugged land makes it difficult. Here dwell the greatest proportion of the rural population, on small holdings divided up in such a manner that a general view of the landscape reminds one of a chess-board. Mild coffee is the typical product of these regions. The temperate-zone dweller is gay, sociable, and devoted to his land. Together with his intensely cultivated patch of land, he usually owns a simple home, with a garden or an orchard and those animals necessary to work his land. It has been rightly said that Colombian agriculture is largely and characteristically hillside tillage. Representative regions of the moderate zone are Caldas and Antioquia, and the picturesque Valley of Tenza. The slopes surrounding Caldas and Quindío form the nation's greatest center of coffee production and represent a model system of agrarian organization because of the wise advantage taken of the limited family lots, the cheery and clean farm houses, and the strong feeling of cooperation and progress.

The mountain-slopes of Antioquia are notable for other reasons. Blessed with few of Nature's gifts, they nevertheless have been beautified and enriched by the hard work of their inhabitants. The Antioquian farmers have heroically perched their houses and gardens on the most perilous parts of their craggy hillsides, in order to leave the less steep and unruly sod for their small cultivations.

Their parcels of ground, thus precariously tilled, symbolize their hope and their toil, as well as the

dotadas por la naturaleza, su morador las ha hermoseado y enriquecido. Tierras duras y quebradas, el labriego ha conseguido, mediante penosos artificios, fijar su casa y su jardín en lo más peligroso de la breña, para dejar lo mejor del suelo al pequeño sembrado, dón concreto de esperanza y de esfuerzo, que sintetiza con su verdura y densidad agrícola la continua labor de las generaciones por transformar el erial en suelo germinante.

El Valle de Tenza, situado al Nordeste de Cundinamarca, es uno de los más característicos e interesantes del país, porque además del rico venero folclórico y venturoso reducto de vida patriarcal campesina, allí se han cumplido dos ensayos típicamente colombianos: el minifundio, como intento de solución social-económico y el mestizaje evolucionado, como manera de lograr en un tipo autóctono, una adecuada síntesis racial.

Tierras cálidas

Están situadas cerca del mar o en las llanuras y vegas de los grandes ríos. Con una temperatura que varía de los 24° a los 38° grados centígrados, están generalmente cubiertas de vegetación exhuberante. Su flora crece agobiada de apasionados colores; sus cultivos (cacao, algodón, caña de azúcar, banano, ajonjolí, etc.), necesitan suelo húmedo y aire ardiente; y sus frutas (piña, guanábana, zapote, melón, mango, etc.) por afortunada compensación están, precisamente, destinadas a calmar con eficacia la sed. Con excepción del hombre de las costas, fornido, quemado por las brisas marinas y espontáneo y caudaloso en locucio-

unbroken efforts of many generations to transform the rugged wilderness into a densely cultivated region of fertile green fields.

The Tenza Valley, situated in the Northwest of Cundinamarca, is one of the most interesting and characteristic sections of the country. Besides the rich vein of folklore and the vestiges of patriarchal life which still remain, the Tenza Valley has witnessed two typically Colombian experiments: the "minifundio", an attempt to solve the social economic problem of the region, and, secondly, the evolution of racial mixtures into a new human type, the Colombian man.

The hot lands

These regions are situated not only along the coasts but also on the banks and in the valleys of the great rivers. The temperature varies from 80° to 110° F. On the whole, these regions are covered with luxuriant vegetation. The wild flora is abundant with colors of the most vivid hues of the spectrum; growing conditions are perfect for the cultivation of cotton, cacao, sugar-cane, banana and sesame, all of which need damp soil and intense heat; and a blessing to man are the fruits, such as the custard-apple, sapots, melon, pineapple and mango, which seem to be providentially destined to quench thirst. The man of the coastlands is stalwart and dusky, tanned by the sea-breezes, uninhibited, vivacious, talkative, and restless. But the inhabitants of the other hot zones are thin, pale and taciturn. In all the torrid regions, the people wear thin, white or light-colored clothes, tend to be

nes y movimientos, el morador de la tierra caliente es delgado, pálido y de pocas palabras. Usa vestidos blancos y ligeros, sus costumbres aventajan en amplitud a las de las otras regiones, su vida cotidiana no se explica sin el culto del agua y sus fiestas se distinguen por las músicas y danzas de gozosos ritmos. Regiones representativas son el fértil y promisorio Valle del Cauca, los Llanos del Tolima y las Sabanas de Córdoba.

Los Llanos constituyen la vasta y hasta hace poco ociosa heredad de un pueblo inteligente y sufrido, con una notable vocación filosófica, musical y heróica que ha hecho del tolimense uno de los más interesantes protagonistas colombianos, en la paz o en la guerra. Comarcas estimadas durante mucho tiempo escasamente productivas en razón de la gran sequedad, la irrigación las ha convertido en promisorias zonas productoras de algodón, ajonjolí y arroz. Sus hospitalarias aldeas y ciudades, han cambiado el antiguo sentido de oasis de la llanura por el de centros de promoción económica, aunque sin perder sus valores folclóricos que originalmente se aprecian todavía en las festividades del Corpus Christi, de San Juan y de San Pedro.

El Valle del Cauca está caracterizado por un aire dulce y placentero y una luz plena y sin fatiga que propicia la deleitosa contemplación de su privilegiado ambiente cósmico. Regado por el río del mismo nombre, lo constituye una gran faja de tierra plana y feraz. Pequeñas y risueñas ciudades, que se comunican entre sí por cómodas calzadas, señorean la comarca y disfrutan de sus deliciosos dones.

more free-living than the dwellers of other zones, and in their leisure give themselves up to the ravishing rhythms of their songs and dances. Typical of these regions are the Plains of Tolima, the fertile and promising Valley of the Cauca, and the Savanna of Córdoba. The former constitute the vast and, until recently, useless inheritance of an intelligent and hard-working people, noted for philosophical, musical and heroic vocation, which, in large part, has determined the important role which it has played both in peace and in war. Many lands, which for a long time had been considered relatively unproductive because of their aridity, have been converted by the aid of irrigation into promising zones for the production of cotton, sesame, and rice. Tolima's hospitable cities and villages have changed its dry and barren lands into a center of economic production, without losing contact with its traditional folklore, which can still be enjoyed in the festivals of Corpus Christi, San Juan, and San Pedro.

The Cauca Valley, with its pleasant mild air and its vivid but unfatiguing light, offers wonderful spectacles to the eye. It is an immense tract of rich, flat land, watered by the Cauca River. Smiling little cities, with easy communication from one to another, hold genial sway over the countryside and live on its charming bounty.

The Savanna of Córdoba is exceptionally well-endowed for large scale production of livestock and agricultural commodities because of the excellent quality of the soil, the adequate water resources, the mild

Las Sabanas de Córdoba son excepcionalmente indicadas para el desarrollo de la agricultura y de la ganadería en grande escala, en razón de la excelente calidad del suelo, los grandes recursos hidráulicos, la topografía suave y la posición geográfica que le permitirá efectiva vinculación con las zonas del Atlántico, del Pacífico y del interior de Colombia. El río Sinú las riega, además de servirles de eficaz medio de intercomunicación.

Llanuras

Las llanuras y selvas escapan a la clasificación anterior por sus condiciones especiales. En algunas regiones como la Guajira, el paisaje es bronco, con predominio absoluto del sol, de la sal y de la sed; en otros, caños y ríos auxilian la actividad agrícola y ganadera y establecen una red de turbulentos caminos.

En las llanuras orientales de San Martín y Casanare, peligrosamente dilatadas y diáfanas, los ojos naufragan en equívocas lejanías y "se oye la vibración de la luz". Desposeídas de montañas y manchadas de vez en cuando por pequeñas porciones de bosques llamadas "morichales", la agricultura comienza a establecerse en ellas en forma sistemática. La ganadería ha sido su industria secular. Desde la época colonial existen los hatos y las haciendas dedicadas a la administración de los ganados que en imponente número pacen libremente en las extensas regiones. Domina en la comarca un hombre frugal y habilísimo jinete que, en los días de la Independencia, formó los gloriosos cuerpos de lanceros revolucionarios.

topography, and the geographical location which readily permits easy communication with the Atlantic, the Pacific, and the interior of the country. The Sinú River is invaluable, as it supplies water for irrigation as well as being an efficient means of intercommunication.

The plains

The plains and the forests do not fall within the preceeding classification because of their special conditions. In some regions, such as the Guajira, the country is harsh, and sun, salt and thirst are absolute masters. In others, streams and rivers encourage agriculture and livestock, and form a network of turbulent thoroughfares of communication.

In the Eastern Plains of San Martín and Casanare, the enormous distances and the transparent air deceive the eye and make one "hear the light vibrating". Here, there are no mountains, the plain is broken only occasionally by small woods, mostly palm groves, called "morichales". Systematic agriculture is getting underway here. The livestock industry is the traditional occupation, and there are ranches still in existence which date back to colonial times. Thousand of cattle, often in a half-wild state, pasture in these spacious regions. The typical plainsman is a skilled horseman, living frugally, whose ancestors, at the time of the War of Independence, volunteered for the famed Lancer Corps of the revolutionary armies. The climate is very hot, with two well-defined seasons each year: the summer, which is dry, and the winter, characterized by destructively heavy rainfall. In this land of

El clima es, regularmente, muy cálido y durante el año hay dos estaciones bien determinadas: el verano, caracterizado por la sequía y el invierno, por la destructora abundancia de las aguas. El caballo raudo, el toro cimarrón y el pájaro voraz, son elementos permanentes de ese escenario de hombres intrépidos; pero a la violencia del medio se contrapone una serie de singulares encantos naturales, significados por raras especies de la fauna y de la flora, que sugieren felices y poéticos consorcios.

Selvas

Existen grandes extensiones forestales en las zonas andinas del país. Muchas de ellas no han sido conquistadas, debido a la insalubridad de los climas, pero otras se han conservado en su estado primitivo por la necesidad de establecer reservas forestales que garanticen, merced a la abundancia de las aguas, el buen suceso de la agricultura nacional. Las manchas de selva más notables del interior colombiano son las que se extienden a lo largo del río Magdalena. En la parte sureste del país hay inmensas selvas que no han podido ser dominadas por el hombre y que representan la verdadera zona virgen del territorio patrio. Estas selvas poseen la flora y la fauna peculiares de la Orinoquia y la Amazonia y son muy ricas en árboles de caucho, palmeras de seje y maderas preciosas.

Islas

Como prolongación del territorio nacional, existen varias islas y numerosos cayos. De unas y otros sobresale, por su importancia, el archipiélago de San Andrés y Providencia,

daring men, permanent alements of the landscape are the swift pony, the wild bull and the bird of prey. But the violence of the setting is tempered by a great many unparalleled natural charms, by the rare and beautiful species of flora and fauna which give the region its unique grace and poetry.

Forests

In the Andean zones there are great tracts of forest land. Some have remained unconquered because of unfavorable climatic conditions; others have been preserved intact in view of the need of maintaining forest reserves, which supply the indispensable moisture for successful agriculture. The most noteworthy woodlands in the interior of Colombia are those which extend along the banks of the Magdalena. Immense tropical forests lie in the South-East of the country, a virgin zone which man has not been able to dominate. They possess the flora and fauna typical of the Orinoco and Amazon regions and are rich in rubber-trees, useful palm-trees and precious woods.

Islands

The national territory includes several islands and keys. The most important is the Archipielago of San Andrés-Providencia in the Atlantic. Politically the Archipielago is an intendancy. Historically it is known for having been an important base for the Caribbean corsairs, and at the present time it has considerable farming and tourist activity.

There are many Colombian islands; some historic, like the isle of Gallo in the Pacific, others idyllic, like the isle of Rosario in the Atlantic.

en el Atlántico. El archipiélago constituye, políticamente, una Intendencia, tiene apreciable actividad agrícola y turística, e históricamente fue base importante de los corsarios del Caribe.

CIUDADES DE COLOMBIA

Una de las características más notables de Colombia es la distribución armónica de sus ciudades; a diferencia de la gran mayoría de las naciones hispanoamericanas que cuentan con una gran capital que resume las posibilidades del progreso urbanístico, Colombia posee muchas ciudades, característicamente definidas de acuerdo con las condiciones geográficas, sociales y económicas de las diferentes regiones en que están ubicadas.

A continuación se da una breve noticia sobre las capitales de los departamentos.

Bogotá

Fue fundada el 6 de agosto de 1538, por Gonzalo Jiménez de Quesada. Capital de la República y sede de los poderes públicos, durante cuatro siglos ha sido factor decisivo de la civilización y de la cultura de la Patria. Situada a los 2.630 metros sobre el nivel del mar, en el este de la Sabana del mismo nombre, goza de un clima medio de 14° centígrados. Su población calculada para 1967, incluyendo toda el área del Distrito Especial fijado para la Capital de la República, es de 1.850.000 habitantes. Centro de una gran red de comunicaciones ferroviarias, automotoras y aéreas que se reparten en todas las direcciones del territorio nacional, su fomento urbanístico y su desarrollo industrial y comercial

COLOMBIAN CITIES

One of Colombia's characteristics is the harmonious distribution of her cities. In this respect she differs from the majority of Spanish-American countries, which usually have one great capital in which are concentrated all the national efforts toward modernization and construction. Colombia has many cities, their character determined by geographical conditions, and by the social and economic cicumstances of the region in which they are situated.

Bogotá

The city was founded on the 6th of August, 1538, by Gonzalo Jiménez de Quesada. It is the capital of the Republic and the seat of political power, and for four centuries has been a decisive factor in the civilization and culture of the country. It is situated at 8,628 feet above sea level in the East of the Savanna of Bogotá. Its mean temperature is 57° F. The population for the total area of the Special District which has been set aside for the nation's capital has been calculated for 1967 at 1,850,000 inhabitants. It is the center of rail, highway and air communications, which extend in every direction across the national territory. In growth, in commercial and industrial development, Bogotá has made great progress within the last twenty years. It is a city at once old and new, where vestiges of Colonial times are found interspersed with modern architecture. The capital has a vigorous personality, and continues to be the synthesis of Colombian nationality. As the chief administrative and university center, it has

ha sido pasmoso en los últimos veinte años. Ciudad antigua y moderna, memoriosos monumentos de la época colonial alternan con jóvenes realizaciones arquitectónicas. Bogotá es la síntesis de la nacionalidad colombiana. Su condición de primer centro administrativo y universitario ha congregado gentes de todas las regiones de la República que allí se han establecido y adoptado el espíritu tradicional de la ciudad, señalado por la hidalguía de las constumbres y la devoción por la cultura.

Medellín

El sentido emprendedor del pueblo de Antioquia y su espíritu universitario han hecho de Medellín uno de los núcleos más sobresalientes de la actvidad económica y cultural del occidente del país. Ciudad de ejemplares servicios públicos, posee hermosos barrios residenciales y clubes sociales y deportivos en cuyos jardines predomina el delicado cultivo de la orquídea en sorprendente variedad. La red de comunicaciones que de ella parte y que la vincula eficazmente al resto del país, está complementada por la carretera al mar, que acrecentará su ya privilegiada importancia económica. Fue fundada en 1616, tiene temperatura media de 21° centígrados y se tiene por cierto que en 1967 se acercará al millón de habitantes. En la historia industrial de Colombia tiene descollante importancia tanto por la iniciativa progresista como por la pujante concentración de fábricas.

Barranquilla

Situada en la zona terminal del Magdalena, y, por lo mismo, ordenadora del tráfico del gran río, mer-

gathered people from all parts of the Republic to establish themselves there and to adopt the city's traditional spirit, the nobility of its customs and its devotion to culture.

Medellín

The enterprising character of the Antioquians and their noble univercity spirit have made Medellín an important nucleus of commerce and culture in the West of the country. A healthy spirit of competition exists between Medellín and Cali, the departmental capital of the Valley of the Cauca, to determine which of the two cities is the nation's leading industrial center. The city offers exemplary public services, possesses handsome residential districts and social and sports clubs, in whose gardens one finds an abundance of orchids of all varieties. The network of communications connecting Medellín with the rest of the country has been completed by a highway to the sea, which still further enhances its privileged economic position. Medellín was founded in 1616. Its average temperature is 70° F. and its estimated population in 1967 will be close to one million.

Barranquilla

Barranquilla is a city of vigorous industrial activity and extensive trade. It is situated a short distance from the mouth of the Magdalena River, and controls the river traffic, thanks to the canalization of Bocas de Ceniza, which has turned it into a busy seaport. It is completely modern, and it embodies a progressive spirit which expresses itself in great factories, and important business

ced a la canalización de las Bocas de Ceniza se ha convertido en puerto marítimo de intenso movimiento. Ciudad completamente moderna, está informada por un vigoroso sentido de progreso que se manifiesta, más que en sus grandes fábricas y en sus ricos comercios, en el espíritu cívico de sus habitantes. Un excelente sistema de comunicaciones terrestres y aéreas, fluviales y marítimas la vinculan a las demás regiones de la costa y al interior del país, acelerando la importación y la exportación que utilizan la ruta del Atlántico. Fue fundada en 1629 y para 1967 se calcula su población en 600.000 habitantes.

Cali

Situada a los 1.003 metros de altura sobre el nivel del mar y con una temperatura media de 25° centígrados, su clima y su amable paisaje atraen, durante todo el año, gran número de visitantes nacionales y extranjeros. Puerto aéreo internacional, puerto fluvial sobre el Cauca, confortable estación veraniega en las cercanías del Pacífico y centro antropogeográfico de una de las más fértiles regiones de Colombia, tiene decisiva importancia comercial, industrial y turística. Es, por otra parte, un centro intelectual y artístico de notable significación y sus numerosos establecimientos educativos gozan de merecido prestigio. Fue fundada por Sebastián de Belalcázar en 1536 y su población en 1967 muy probablemente excederá los 800.000 habitantes.

Cartagena

Tesoro de la tradición hispanoamericana y monumento de la historia nacional, Bolívar le dio el

houses, and in the civic responsibility accepted by its inhabitants. Excellent communications by land, air, sea and river connect it with other coastal regions and with the interior, accelerating imports and exports by the Atlantic route. It was founded in 1629, and its estimated population in 1967 will be close to 600,000.

Cali

This city is situated at 3,291 feet above sea-level, and has an average temperature of 77° F. Its climate and the beauty of the surrounding countryside attract Colombian and foreign visitors all year round. It is an international airport and river-port on the Cauca, a pleasant vacation center near the Pacific, and the capital of the most fertile zone in Colombia. Its commercial, industrial and touristic importance is outstanding. It is also an important intellectual and artistic center, with many excellent educational institutions. It was founded by Sebastían de Belalcázar in 1536, and its estimated population in 1967 is 800,000 inhabitants.

Cartagena

Cartagena is a treasure-house of Spanish-American tradition and a glorious monument of national history, well deserving the title of the "Heroic City" conferred upon it by Bolívar. It is on the Caribbean Coast, where its wonderful bay makes it a center of international trade, and the blue sea of the pirates lends it a special charm. The city is divided into two parts: the ancient city, entirely enclosed by the strong walls which the Spanish king ordered to be built at great cost in order to defend

título de "Ciudad Heroica". Situada sobre la costa del Caribe, su hermosa bahía le ofrece ventajosas formas de tráfico internacional. La ciudad se divide en dos partes: la antigua, ceñida completamente por las recias murallas que los reyes españoles ordenaron construir, a enorme precio, para defenderla de los corsarios y de las expediciones inglesas y la nueva, edificada fuera de las murallas, con criterio urbanístico moderno. Sus fuertes y castillos, sus iglesias y palacios, sus bodegones y casonas han sido conservados como en la época colonial; por esta razón, en Cartagena se vive fácil y permanentemente la emoción del pasado.

Pero, además de sus eminentes valores históricos, tiene una singular importancia intelectual, económica y militar. Posee una concurrida universidad, en sus cercanías se encuentra el terminal del gran oleoducto que parte de Barrancabermeja y en su jurisdicción funciona la Escuela de Marina y la principal base naval de Colombia. Fue fundada por Pedro de Heredia en 1533 y en 1967 casi seguramente su población contará con 300.000 habitantes.

Manizales

Manizales es la expresión de una superada empresa urbanística; situada en una estribación de la Cordillera Central, sus constructores tuvieron que formar el terreno para sustentar los barrios, las avenidas y los jardines. Contra los obstáculos topográficos, en sólo un siglo de labores ha surgido una original y floreciente ciudad que rige el espléndido movimiento económico del Quindío y se enorgullece, con razón, de su intensa

the city from the onslaughts of the English pirates; and the new city, built along modern lines outside the ancient walls. Its fortresses and castles, its churches and palaces, its old inns and homes have been preserved as they were in colonial times, so that Cartagena constantly relives her stirring past.

Apart from its great historic value, Cartagena is of extraordinary intellectual, economic and military importance. It has a crowded university. It is not far from the terminal of the great petroleum pipeline which begins at Barrancabermeja; and it watches over the Naval School and Colombia's principal naval base. It was founded by Pedro de Heredia in 1533, and its population in 1967 will be close to 300.000.

Manizales

Manizales is the expression of a tremendous town-building enterprise. It is situated on the buttress of the Central Cordillera, so that its founders had to build up the ground to support the houses, avenues, and gardens. In the short space of only one century a flourishing city has emerged from this struggle against topographical difficulties; and Manizales is now not only the economic center of the Quindío region, but also a cultural center, justly proud of its active intellectual life. It was founded in 1849, and its estimated population for 1967 will be close to 250,000 inhabitans.

Popayán

This is, above all, a university city. Its climate, favorable for intellectual activity, and its colonial appearance,

vida intelectual. Un vigoroso espíritu público ha hecho de la Feria de Manizales uno de los mayores atractivos colombianos de turismo nacional y extranjero. Fue fundada en 1849 y para 1967 se calcula su población en 250.000 habitantes.

Popayán

Es una ciudad universitaria por excelencia. Su clima, grato al intelecto y su fisonomía colonial hacen propicia la congregación de las juventudes del Cauca en sus vetustas casas de estudio, llenas de recuerdos egregios. La tradición hispana alienta magnífica en Popayán, de la cual son fiel expresión las ricas e impresionantes procesiones de Semana Santa.

Popayán ha sido semillero de gloriosa historia; en la Independencia sus próceres, en la República sus estadistas y poetas han dejado al país un legado de inteligencia y heroísmo. Fue fundada en 1536 por Sebastián de Belalcázar; su temperatura media es de 18° centígrados y el cálculo de su población para 1967 es de 90.000 habitantes.

Santa Marta

Santa Marta es la más antigua de las ciudades de Colombia. Fundada por Rodrigo de Bastidas en 1525, como base de audaces expediciones, desempeñó un papel decisivo en la conquista del Nuevo Reino. Ciudad de majestuosas perspectivas, está edificada sobre una de las más hermosas bahías de América y al pie de la importante Sierra Nevada de Santa Marta. Ciudad de predestinación histórica, en la Quinta de San Pedro Alejandrino murió, el 17 de

make it a fit place for the youth of the Cauca region to glean the wisdom of the past, as they gather in its ancient lecture-halls and cloisters. The Hispanic tradition flourishes here, richly and impressively expressed in the Holy Week processions.

Popayán has been a cradle of historical glory. It gave great men to the cause of Independence and its statesmen and poets under the Republic have left the country a legacy of intelligence and heroism. It was founded by Sebastián de Belalcázar in 1536. Its average temperature is 64° F. and its population in 1967 will be close to 90,000 inhabitants.

Santa Marta

Santa Marta is the oldest city in Colombia. It was founded in 1525 by Rodrigo de Bastidas as the base for many daring expeditions and played a decisive part in the conquests of the New Kingdom of Granada. It is a majestic city, built on one of the most beautiful bays in the Americas at the foot of the magnificent Sierra Nevada de Santa Marta. There, in the Quinta de San Pedro Alejandrino, the Liberator Simón Bolívar died on the 17th of December, 1830. The great economic importance of Santa Marta lies in the fact that it is the center for the agricultural production of the Magdalena basin. Its population in 1967 is estimated at 120,000 inhabitants.

Cúcuta

This city has great commercial importance because of its proximity to the Venezuelan frontier and to the petroleum centers located at Cata-

diciembre de 1830, el Libertador Simón Bolívar. Económicamente, Santa Marta tiene una gran importancia por ser centro de articulación de la producción agrícola del Magdalena. Para 1967 los estadígrafos fijan su población en 120.000 habitantes.

Cúcuta

Su gran importancia comercial se debe, principalmente, a la proximidad a la frontera venezolana y a la cercanía a los centros petrolíferos del Catatumbo. Es una ciudad realizada de acuerdo con un excelente criterio urbanístico, al amparo de un amable ambiente vegetal que se expresa en la espléndida arborización de las vías y en el número y amplitud de los parques. Es, además, llave del sistema internacional de comunicaciones del Nordeste. Fue fundada en 1734, tiene una temperatura de 29° centígrados y la predicción estadística de su población en 1967 es de 200.000 habitantes.

Bucaramanga

Ciudad eminentemente intelectual, ofrece una grata visión, con sus amplias avenidas y sus numerosos parques solícitamente cultivados. En lo económico, desempeña la dirección de la industria tabacalera y cafetera de Santander del Sur. Fue fundada en 1778, goza de una temperatura media de 23° centígrados y para 1967 su población se calcula en 250.000 habitantes.

Pasto

Es la ciudad que impulsa eficientemente el intercambio entre Colombia y el Ecuador y desempeña con ventaja la función de relación entre el interior del país y las ricas y

tumbo. It is a well arranged city, and the fine vegetation of the region is to be seen in the tree-lined streets and the large city parks. Cúcuta is the key to the international system of communications in the Northwest of the country. It was founded in 1734. It has a mean temperature of 84° F. Its population in 1967 will be nearly 200,000 inhabitants.

Bucaramanga

This outstandingly intellectual city offers a pleasant spectacle with its wide avenues and numerous well-tended parks. It is the center of the tobacco and coffee industries of Santander del Sur. It was founded in 1778. It has an average temperature of 73° F. Its estimated population in 1967 will be close to 250,000.

Pasto

This city is the center of trade between Colombia and Ecuador, and between the interior of the country and the rich, young regions of Subundoy and the Upper Putumayo. It has many fine artists and clever artisans, and enjoys a vigorous cultural life. It was founded by Lorenzo de Aldana in 1539, and its estimated population in 1967 will be 130,000 inhabitants.

Tunja

This Castilian city on a high, cold plateau is a monument to Colonial times, being happily associated with the campaigns for liberty, and possessing a noble literary tradition. The considerable development of modern life has not disturbed its serene atmosphere, in which one of the most important teaching centers of

jóvenes comarcas de Sibundoy y Alto Putumayo. Ciudad de meritorios artistas y hábiles artesanos, su vida cultural es muy apreciable; fue fundada por Lorenzo de Aldana en 1539 y para 1967 se calcula una población de 130.000 habitantes.

Tunja

Ciudad castellana de planicie fría, su categoría de monumento colonial se asocia felizmente a los recuerdos de la campaña libertadora y a una noble tradición literaria. El apreciable avance de la vida moderna que en ella se advierte no ha logrado perturbar la serenidad de su ambiente, a cuyo amparo Tunja ha consolidado uno de los núcleos docentes de mayor significación en el país. Fue fundada en 1539 por Gonzalo Suárez Rendón y los pronósticos demográficos para 1967 le fijan 80.000 habitantes.

Ibagué

En el camino entre el oriente y el occidente de Colombia y en el corazón de una rica región ganadera, agrícola y minera, Ibagué tiene considerable vida comercial; pero ante todo deriva su importancia de su categoría de ciudad culta, poseedora de numerosos y afamados institutos de educación. Fue fundada en 1550 por el Capitán Andrés López Galarza y su población en 1967 se calcula en 200.000 habitantes.

Neiva

A orillas del río Magdalena y con una temperatura media de 27° centígrados, es el centro de coordinación vial y económico de las ricas regiones agrícolas y ganaderas del sur del Huila y noroeste del Caquetá.

the country has been formed. The city was founded in 1539 by Gonzalo Suárez Rendón, and its estimated population in 1967 will be 80,000 inhabitants.

Ibagué

Ibagué is situated on the road between the East and the West of Colombia in the heart of a rich cattle-breeding, agricultural and mining area, so that its commercial life is quite vigorous. But, above all, it is a cultured city with many famous educational institutions. It was founded in 1550 and in 1967 probably will have some 200,000 inhabitants.

Neiva

Situated on the banks of the Magdalena river, and having an average temperature of 87° F., Neiva is the center of the rich agricultural and cattle-rearing regions of the South of Huila and the North-East of Caquetá. It was founded in 1539 by Juan de Cabrera and its population in 1967 will be close to 100,000 inhabitants.

Montería

A very progressive city, and an important economic center, it controls the farming and cattle-raising activities of the Sinú region. It will have in 1967 150,000 inhabitants approximately.

Quibdó

Founded by Manuel Cañizares in 1654 on the banks of the Atrato, Quibdó is the center of land, air and river communications in the Department of Chocó, and the adminis-

Fue fundada en 1539 por Juan de Cabrera y según los expertos en 1967 contará con 100.000 almas.

Montería

Ciudad de ejemplar sentido progresista y centro económico de gran importancia, controla la actividad ganadera y agrícola del Sinú. Con 28° de temperatura media, su población estimada para 1967 es de 150.000 habitantes.

Quibdó

Fundada en 1654 por Manuel Cañizares en las orillas del Atrato, es la llave de las comunicaciones fluviales, aéreas y terrestres del Chocó y sede de la administración, el comercio y la industria de un departamento por excelencia minero. Su temperatura promedia es de 29° y su población alcanzará en 1967 según los estudios, 60.000 habitantes.

Villavicencio

Llamada así en memoria del prócer de la Independencia Antonio Villavicencio, se halla a la entrada de los Llanos Orientales, después de haber vencido los formidables obstáculos de la Cordillera Oriental. Centro ganadero de primer orden, es una de las más promisorias capitales colombianas. Con una temperatura media de 26° centígrados, para el año de 1967 se calcula su población en 70.000 habitantes.

Riohacha

Una de las más antiguas ciudades de Colombia (1545), su historia colonial es muy rica, pero su mayor gloria es el haber sido cuna del

trative, industrial and trade center of this mining region. It 1967 it will have a population of over 60,000 inhabitants.

Villavicencio

Named in honor of Antonio Villavicencio, forerunner of the independence movement, it is located on the western edge of the Eastern Plains, just across the formidable barrier of the Cordillera Oriental. A cattle-raising center of first rank, it is one of the Colombian capitals which hold most promise. Its mean temperature is 26° Centigrade; its population in 1967 is expected to be 70,000.

Riohacha

One of the oldest cities of Colombia (1545), its colonial history is very rich, but its chief glory is as the birthplace of Admiral José Padilla. With a population of 40,000 it is expected to become important economically and culturally within a few years, as the programmed development of the new Department of La Guajira unfolds.

Armenia

In its rich and picturesque valley setting, is the center of the most important coffee-growing area of the country. With nearly 150,000 inhabitants, it is the most important recent city foundation, and one that has developed with great speed. Its youthful vigor has succeded, in less than a man's life span, in establishing itself as a model of urban center of the promising Quindio region.

Almirante José Padilla. Con un cálculo de 40.000 almas para 1967, se estima que como base de la campaña de desarrollo del joven Departamento de La Guajira, le dará en pocos años una gran importancia económica y cultural.

Armenia

Se halla edificada en rico y hermoso valle con sentido de centro coordinador de la más importante región cafetera del país. Con cerca de ciento cincuenta mil habitantes, es la ciudad de más reciente fundación y una de las que más rápidamente se ha desarrollado. Con inusitada fuerza juvenil Armenia ha logrado, en menos de lo que envejece un hombre, establecer una vigorosa comunidad urbana, expresión de las promesas del Quindío.

Otras ciudades de Colombia

Además de las capitales de departamento existen numerosas ciudades que constituyen núcleos de síntesis social y económica de una zona del país o representan grandes tradiciones, acompañadas generalmente de ricos patrimonios artísticos e históricos.

Algunas de esas ciudades cumplieron en los días de la Colonia vasta obra civilizadora y luego prestaron señalado concurso a los ideales y sacrificios de la emancipación y a la consolidación de las instituciones republicanas. Tal el caso de Mompóx, vitrina de la orfebrería colonial y antorcha de la revolución en su momento; de Santa Fé de Antioquia, San Gil y Cartago, en donde con autenticidad neogranadina se produjo una estirpe moralmente ejemplar, valiente y laboriosa; de

Other cities of Colombia

Besides the department capitals, there are a number of cities which are social and economic nuclei of one or the other sector of the country or which represent important traditions, generally accompanied by a rich artistic and historical heritage.

Some of these cities, in the days of the Colony, carried on important civilizing activities and later played significant roles in the ideals and sacrifices of the emancipation and the formation of our republican institutions. Such is Mompox, the showcase of colonial metal craftsmanship and in its day a leader of the revolution; such also are Santa Fé de Antioquia, San Gil, and Cartago, which produced an admirable race, brave and industrious, prime examples of the people of New Granada at their best; such also are Rionegro and Ocaña, birthplaces of illustrious men like the soldier José María Córdoba and the poet José Eusebio Caro, and sites of some of the liveliest political reunions in the country's history. Other outstanding examples are: El Socorro, one of the most productive regions of eighteenth-century America and a leader of the independence movement; Buga, with its constellation of warriors and martyrs; Mariquita and Guaduas, nurseries of the country's learning; Tuluá and Palmyra, with their elegance and intellectual atmosphere; Santa Rosa de Osos, Sonsón, and Abejorral in Antioquia, and Salamina and Santa Rosa de Cabal in Caldas, with their idyllic countrysides and their high ratio of university students; Zipaquirá, Faca-

Rionegro y Ocaña, cunas de hombres insignes, como José María Córdoba el soldado y José Eusebio Caro, el poeta, y recintos de las más controvertidas convenciones que registra la historia política del país; de El Socorro, destacada entre las más industriosas regiones americanas del siglo XVIII y primogénita de la independencia; de Buga con su pléyade de guerreros y mártires; de Mariquita y Guaduas, con sus jardines de la ciencia patria; de Tuluá y Palmira con su proverbial señorío y su atmósfera de inteligencia; de Santa Rosa de Osos, Sonsón y Abejorral en Antioquia y Salamina y Santa Rosa de Cabal en Caldas, con su idílico espíritu agrario y la vocación universitaria de sus hijos; de Zipaquirá, Facatativá, Fusagasugá y Chiquinquirá, entre las cuales cualquiera de las tres primeras pudiera desempeñar con decoro la función de capital del departamento de Cundinamarca y la última, aceptada secularmente como el primer santuario religioso de la nación.

Otras ciudades han cumplido en la época republicana una decisiva misión de desarrollo orgánico y progreso económico y social. Así, con admirable energía cívica Pereira ha erigido en la tierra de los más inteligentes orfebres precolombinos, los quimbayas, una ciudad populosa, culta y moderna.

Pereira con cerca de un cuarto de millón de habitantes vincula una ilustre tradición precolombina y colonial con un ejemplar sentido del progreso. Situada en nudo estratégico de comunicaciones entre zonas de grandes potenciales económicos, ha logrado en los últimos años un admirable desarrollo urbanístico que co-

tativá, Fusagasugá and Chiquinquirá, of which any of the first three could quite adequately fill the role of capital of the department of Cundinamarca, and the last of which is generally considered the nation's outstanding religious sanctuary.

Other cities have played decisive roles in social and economic development during the republican era. Thus Pereira, wit admirable civic energy, has built up a thriving, cultured modern city in the territory of the ancient Quimbayas, the most talented of the pre-Colombian metal craftsmen.

Pereira, with almost a quarter million inhabitants, joins a contemporary sense of progress to an illustrious precolombian and colonial tradition. It is located at the center of communication lines among areas of great economic potential, and its urban development in recent years has paralleled its industrial and cultural development.

Pereira has been considered possible capital of a new departament.

There are many other small cities or provincial centers which are well-known for the men they have furnished to fill the highest positions in administration business, and cultural life. Such, for instance, are Abejorral, Marinilla and Sonsón in Antioquia; Salamina in Caldas; Valledupar in Magdalena; Girón and Pamplona in Santander; Túquerres and Ipiales in Nariño; Zipaquirá, Guaduas and Girardot in Cundinamarca; Palmira and Tuluá in Valle. There are, in fact, in each department several localities that have very interesting histories.

rre pareja con el industrial y el cultural.

Pereira ha sido considerada como posible capital de nuevo departamento.

En el mérito fundamental de aportar gente de valía para dotar los puestos directivos de la administración público, la economía y la cultura, muchas son las pequeñas ciudades o los centros de provincia que han merecido gratitud y nombradía nacionales. Tal el caso de Abejorral, Marinilla y Sonsón en Antioquia; Salamina en Caldas; Valledupar en el Magdalena, Girón y Pamplona en Santander; Túquerres e Ipiales en Nariño; Zipaquirá, Guaduas y Girardot en Cundinamarca; Palmira y Tuluá en el Valle y en cada departamento, una o dos localidades con muy gentil historia y una segura promesa económica.

A medida que la iniciativa industrial se extiende por el país, surgen centros de gran importancia como Barrancabermeja, en pocos años transformada de campamento petrolero en sugestiva ciudad del trópico, o como Sogamoso, cuya tranquila fisonomía campesina fue sorprendida por los resplandores de las Acerías de Paz del Río. Todo lo cual confirma que Colombia tiene un gran sentido de integración urbanística, que a la postre corresponde a la mentalidad de los conquistadores del país doblados de entusiastas fundadores de ciudades.

El auge de las ciudades colombianas ha llegado a ser tal que de una población agraria del 70% en 1930 y de un equilibrio demográfico entre ciudad y campo en 1955, se pasó al 55% de población urbana en 1965.

Now, as industrialization spreads through the country, important new cities are rising. One example is Barrancabermeja, transformed within a few years from an oil-drilling camp to an attractive tropical city. Another is Sogamoso, a quiet country town suddenly overtaken by the growth of the steel mills of Paz del Río.

All this demonstrates Colombia's strong sense of urban integration, a heritage from the *conquistadores,* who were enthusiastic builders of cities.

The rapid growth of the cities of Colombia is undoubtedly due to the shift of rural population to the cities because of the growth of urban industry, the social and political disturbances in the country-side, and the better educational and professional opportunities in the cities. This growth has been such that a population that was 70% rural in 1930 was only 50% rural in 1955, and by 1965 had become 55% urban.

But the surprising development of the Colombian cities is also in great part due to their well chosen locations as the organic centers of various parts of the country, with an adequate political, economic and administrative system.

The urbanizing tendencies, moreover, do not indicate any decline in the importance of the rural elements in the country. Much of the future progress of Colombia still depends on its rural economy. In fact, it is precisely in a strengthening of the organization and culture of the small towns and villages that one of the best solutions of the problem of national development is to be found.

CARTAGENA DE INDIAS
Fot. Hernán Díaz

PLAZA DE BOLIVAR DE BOGOTA
BOLIVAR SQUARE, BOGOTA
Fot. Hernán Díaz

PALACIO DE GOBIERNO DE MEDELLIN
GOVERNMENT PALACE, MEDELLIN
Fot. Guillermo Angulo

PLAZA MAYOR DE TUNJA
MAIN SQUARE OF TUNJA
Fot. Hernán Díaz

VILLA DEL ROSARIO DE CUCUTA
Fot. Hernán Díaz

SAN FRANCISCO DE CALI
Fot. Hernán Díaz

CATEDRAL DE MARIQUITA
Fot. Hernán Díaz

Capítulo IV

FACTORES ECONOMICOS

Los recursos naturales

COLOMBIA posee una naturaleza privilegiada y una afortunada variedad de climas que compensa la falta de estaciones. Armonioso conjunto de promesas naturales, debido a la juventud de la nación, el hombre colombiano no ha aprovechado en la forma anhelada las posibilidades económicas que le ofrece un territorio vasto y lleno de contrastes.

La flora

Los tres reinos de la naturaleza aparecen a los ojos del científico espléndidamente agobiados por el número y calidad de los seres útiles y bellos. Los científicos de Harvard opinan que la flora colombiana es una de las más ricas del mundo, y en avifauna dispone de una asombrosa cantidad de especies.

En el plantío, en el bosque o en la labranza, se advierten, desde los árboles y plantas cuya semilla trajeron como joyas los conquistadores, hasta los grupos botánicos que asistieron al despertar de la vida vegetal del Nuevo Mundo: el café suave, de cuyas delicadas esencias deriva la economía nacional sus fuentes principales; el trigo, aliado de la coloni-

Chapter Four

ECONOMIC FACTORS

Natural resources

IN compensation for its lack of seasons Colombia has a fortunate variety of climates and is endowed with many natural gifts. The nation is still young and has not yet had time to realize the great economic possibilities of its vast territory, full of contrasts and promise.

The Flora — For the scientist the abundance and variety in which are found all three natural kingdoms is all but overwhelming.

In garden, forest and field, there are trees and plants whose seeds were transported here like precious jewels by the conquerors, as well as others which have been in the country since vegetable life first appeared in the New Word. There is the mild coffee, whose delicate essence is the mainspring of the national economy. There is wheat, introduced by the Europeans, which has given a stable industry to the cold regions. There are cacao, sesame, cotton, rice and sugar, which have transformed barren plains into centers of agricultural prosperity. There is the potato, a native of the country, an indispensable part of the diet of the indigenous peasant. There is maize, which provides bread for the rural population, and is an essential ele-

zación europea, que ha dado a la tierra fría sólida industria; el cacao, el ajonjolí, el algodón, el arroz y el azúcar, que han transformado calcinadas llanuras en emporios de prosperidad agrícola; la papa, fruto aborigen, indispensable en el cuadro dietético del campesino indoamericano; el maíz, pan del labriego y elemento esencial del plantío de todos los climas y regiones; el tabaco, oscuro sedante de la civilización, cultivado con esmero de precioso alimento; la quina, que sabios colombianos descubrieron y fomentaron medicinalmente; el caucho que hizo el capital de la aventura y la novela de las selvas vírgenes; el guayacán, cuya madera perpetúa la casa del hombre; la guanábana, la curuba, la pitahaya, la granadilla, la chirimoya y el arrayán, frutas de sabor sustancialmente colombiano; y la orquídea, que se multiplica en incontables variedades de exóticas formas e insospechados matices.

La fauna

Conquistador invicto y colonizador abnegado, el caballo ha cumplido su misión histórica con eficacia; quizás por eso, y a pesar de los modernos medios de transporte, el campesino colombiano se obstina en vivir, al menos las fiestas, sobre su trotón criollo. Con paso seguro, la mula vertebró el país, amurallado por la naturaleza, y llevó a las altas ciudades de los Andes los elementos de la civilización europea. La oveja procuró abrigo y alimento, por igual al hispano y al indígena, y en ambos despertó la vocación pastoril. El buey fue peregrino y labrador, y continúa siendo el amigo del agro; y si

ment in the agriculture of all regions, regardless of climate. There is tobacco, civilization's sedative, cultivated wich meticulous care; also the cinchona, which Colombian scientists discovered long ago and exploited as a medicine; rubber, the reward of the adventurer, whose cultivation and marketing would be a fitting theme for a great novel of the virgin forests; the lignum-vitae tree, whose indestructible wood is ideal for home-building; the custard-apple, the curuba, the pitahaya, the granadilla, the chirimoya and the myrtle, all typically Colombian; and the orchid, with its innumerable varieties and colors.

The Fauna — The horse has accomplished an important historical mission, whether as the servant of the undefeated conqueror or as the ally of the hardworking colonist. It is perhaps for this reason that the Colombian peasant usually spends his holidays mounted on his Creole trotting horse, in spite of having at his disposal more modern means transportation. The sure-footed mule has halso played an important role, traversing this country so full of natural barriers, and bringing the elements of European civilization to the high cities of the Andes. The sheep provided clothing and shelter for the Spaniard and Indian alike, converting both into shepherds. The ox, that untiring pilgrim and toiler, continues to be a loyal friend to the ploughman; near many a peasant cottage can be found one member or another of the bovine family, while large herds of cattle graze on Colombia's vast rolling grasslands.

Among native species the shy, gentle deer is unmistakable; as is

su familia se hace presente en el pequeño predio del campesino, en las grandes dehesas se advierte imponente la muchedumbre de los rebaños.

Entre las variedades aborígenes sobresalen el toche, temblorosa imagen de la ternura animal; el jaguar, de alucinantes ojos, la mariposa de Muzo, buscada con esmero por los coleccionistas, y el cocuyo, luz insistente en las coplas populares. En los grandes ríos la mansedumbre y la cólera encuentran símbolos vivos; con el sinuoso caimán y el temblón que electriza, vive el piadoso trío de peces integrado por el capaz, el capitán y el bagre, que ofrecen al feligrés la posibilidad de guardar los preceptos de la cuaresma. Y en los jardines silvestres, estimulados por la vecindad de manantiales virgilianos, se hermanan flores y pájaros, y así aparecen asociados la catleya y el toche, la hortensia y el azulejo, la parásita hermana menor de la orquídea, y el colibrí, llamado amorosamente "quinza" por los poetas precolombianos.

El subsuelo

Las reservas del subsuelo no se refieren solamente a aislados grupos mineralógicos, sino que representan una concentración afortunada de elementos químicos señalados como factores esenciales de la fábrica moderna. Hasta el presente, muy pocos renglones han sido usufructuados por la inteligencia y el capital de los colombianos, pero ya se ha iniciado un vigoroso movimiento nacional de aprovechamiento de tan generosos dones, con el apoyo del Estado, el influjo de la Universidad y el esti-

also the jaguar with its gleaming eyes; the Muzo butterfly, prized by collectors; and the glow-worm — the *cocuyo* of numberless popular songs. Within Colombia's great rivers, also, live animals which are living symbols of gentleness or fury. The alligator and the electric eel live side by side with fish like the capaz, the capitán and the bagre, the latter three being particularly valuable during lenten fast days.

As for the birds, they are most of them so dainty and colorful that they are easily confused with the gay vegetation. The woodland flowers, refreshed by natural springs, seem like sisters to the birds, so that the *Cattleya* and the singing *toche* appear to be related, as also the hortensia and the bluebird, the parasite flower — little sister of the orchid — and the hummingbird, affectionately called the *quinza* by the ancient Pre-Columbian poets.

The Subsoil — The subsoil reserves consist not only of certain isolated mineral deposits, but also of a considerable concentration of many of the chemical elements essential to modern manufacture. Very few of these have up to now been exploited by Colombian capital and technique. However, a vigorous movement is now on foot to make use of these natural resources, with the help of the State, the influence of the University and the stimulating example of the scientific precursors of Colombia's political Independence.

There are numerous sources of fast flowing waters — the "white coal" that generates electrical energy — which could be harnessed to an organic plan of power-stations in order to develop industry in town

mulante recuerdo de los científicos precursores de la independencia política.

Además de las numerosas fuentes de hulla blanca que favorecen un plan orgánico de centrales eléctricas destinadas a fomentar la industria de ciudades y campos, se explotan, en escala apreciable, petróleo, oro, platino, sal, esmeraldas, hierro, plata y carbón, y se mantienen en calidad de promisorias reservas numerosos yacimientos de uranio, mercurio, azufre, mármol, cobre, zinc, plomo, cromo, bauxita, estaño, blenda, grafito, cristal de roca, yeso y asbesto.

ALGUNOS RENGLONES DE PRODUCCION

Café

Es el renglón de producción más importante. Además de ser factor principalísimo en la economía general, ejerce función decisiva en la regulación del comercio exterior.

Por ser su planta singularmente sensitiva, reclamar tierra buena, humedad discreta y delicado tratamiento, y sólo prosperar a la sombra de grandes árboles, en las vertientes de los Andes de clima medio, el cultivo del café requiere esmeradas atenciones que se extreman en la época de la cosecha, pues sus frutos deben desprenderse cuidadosamente a mano.

En calidad de fruto de delicias exóticas, el café llegó al Nuevo Reino, años después de que el Capitán Matías de Clew lo transplantó a América, llevándolo de Francia a la Martinica en un emocionante viaje. Uno de los primeros cultivos se hizo en los Llanos Orientales, siendo in-

and country. Gold, silver, emeralds, platinum, salt, petroleum, iron and coal are mined on a considerable scale; and, as reserves for future exploitation, there are deposits of mercury, uranium, sulphur, marble, copper, zinc, lead, chromium, bauxite, tin blende, graphite, rock crystal, gypsum and asbestos.

SOME IMPORTANT PRODUCTS

Coffee

Coffee constitutes Colombia's staple commodity. It is a most important item in the nation's economy and the preponderant factor in the balance and adjustment of foreign trade.

The coffee plant, being extremely sensitive, requires good soil, the right amount of humidity and expert technical care. It will thrive only if planted in the shade of large trees on those slopes of the Andes which enjoy a mild climate. Its cultivation requires the most careful attention, especially at harvest time, when the berries must be painstakingly picked by hand.

It was as a delicate and exotic plant that coffee was introduced into the New Kingdom of Granada, years after Captain Matthias de Clew's exciting voyage to Martinique at which time he transported the precious coffee plant from France. One of the first coffee crops was cultivated in Colombia's Eastern Plains and it is most probable that the seeds had entered the national territory from Venezuela.

At first, the cultivation of coffee was deemed complicated and hazardous. In regions where the climate was not favorable, the shrub refused

dudable que las semillas procedieron de Venezuela.

Inicialmente, su cultivo fue estimado complejo por negarse a prosperar en regiones inclementes o con sólo las operaciones dedicadas a otras plantas útiles, procedentes de Europa. Mas, poco a poco, fue generalizándose, bajo el incentivo de su progresiva demanda, con el estímulo de religiosos previsores y la actividad de agricultores inteligentes.

Se cuenta que don José Fulgencio Silva, cura de almas de Cúcuta, empeñado en fundamentar en la holgura económica la felicidad y la paz de su feligresía, estimó que el café tendría un halagüeño porvenir; mas, seguro de que los viejos labradores, satisfechos con cosechar en pocos meses el fruto de sus semillas y fatigas, ofrecerían resistencia al nuevo cultivo, encontró en su ministerio un recurso excepcional: cada vez que el agricultor iba a sosegar su conciencia en la intimidad del confesionario, le imponía como penitencia la siembra de árboles de café. Y de esta manera, al cabo de un lustro, la contrición floreció magnífica en el vasto y espléndido huerto en que se convirtió la parroquia de San José de Guasimales, antiguo nombre de Cúcuta.

La producción cafetera, calculada anualmente en siete a ocho millones de sacos, está íntimamente ligada, y por igual, a la actividad de latifundios y minifundios, coordinándose mediante una metódica labor a cargo de la Federación Nacional de Cafeteros.

Oro

La industria del oro tiene su origen en el trabajo de los orfebres

to thrive, even when treated with the same care bestowed upon other useful plants, most of which had been introduced from Europe. Little by little, however, coffee cultivation spread in answer to growing demand, and was carefully fostered by the far-seeing monks and friars.

There is a story about a parish priest in Cúcuta who hit upon an original way to encourage the cultivation of coffee.

Bent on contributing to the peace and happiness of his congregation through economic means, he considered the possibilities of coffee and became convinced that it had a promising future. But he was equally certain that the peasants, satisfied with reaping the reward of their sowing after only a few months, would prefer to stick to their traditional crops and would offer resistance to the new one. So he found the answer in the rites of his holy ministry. Every time a farmer went to confession to ease his conscience, the good priest imposed as penance the sowing of coffee shrubs. Thus it was that in five years time, out of the contrition of the honest parishioners of San José de Guasimales (the ancient name of Cúcuta) there was created a flourishing and extensive coffee grove.

The annual output of Colombian coffee is computed at seven to eight million sacks, to which not only rich plantations contribute, but also small farms. The efforts of large and small producers are systematically coordinated by the National Federation of Coffee-Growers - *Federación Nacional de Cafeteros.*

Gold — The gold industry goes back to the work of the Chibcha and

chibchas y quimbayas, que alcanzó un espléndido grado de progreso artístico, el cual puede apreciarse en el museo establecido por el Banco de la República en Bogotá. Durante la Colonia, los españoles explotaron las minas con gran intensidad, para lo cual importaron esclavos negros del Africa.

En la actualidad el oro es un renglón importante, especialmente en los Departamentos de Antioquia, Nariño y Chocó. Las minas son de dos clases: de filón y de aluvión. Las primeras se benefician mediante la extracción y pulverización de cuarzos auríferos, y las segundas merced al lavado de arenas. La producción anual de oro en Colombia alcanza a más de 40.000 onzas troy.

Platino

La historia mundial del platino registró decisivos episodios en las minas colombianas del Chocó. Durante mucho tiempo, y antes de conocer sus verdaderas propiedades, los españoles estimaron este metal como oro pobre, y aún como plata de inferior calidad, por lo cual consideraron fraudulento su comercio. Justipreciado el noble elemento, su explotación se fomentó en forma tan notable, que desde hace varios lustros Colombia figura como uno de los primeros proveedores mundiales de platino, con una producción aproximada de 29.000 onzas troy.

Petróleo

El petróleo representa una de las mayores reservas del subsuelo y de la riqueza colombiana en general. Numerosas compañías extranjeras explotan este renglón por el sistema de

Kimbaya goldsmiths, which reached a high artistic level, as is borne out by exhibits in the Gold Museum founded in Bogotá by the Bank of the Republic. In the times of the Colony the Spaniards ruthlessly exploited the gold mines, importing Negroes from Africa as laborers. At the present time gold is an important commodity, especially in the Departments of Antioquia, Nariño, and Chocó. It is obtained both by shaft mining and from alluvial sources; in other words, it is either extracted from pulverized auriferous quartz or it is washed out of waterborne sand. The annual output of Colombian gold is about 40,000 Troy ounces.

Platinum — Were the history of platinum to be written, certain decisive events relating to Colombia's Chocó mines would have to be included. It is sufficient only to recall that for a long time the Spaniards, ignorant of its real properties, thought this metal to be a poor strain of gold, or, perhaps, a silver of inferior quality, and consequently considered it fraudulent in commercial transactions. Later, when people began to appreciate this precious element, its exploitation was keenly encouraged, and Colombia has for several decades been one of the world's leading suppliers of platinum, with some 29,000 Troy ounces annually.

Oil — Oil is regarded as one of Colombia's most important natural resources, even though its exploitation is not very extensive. In accordance with a system of concessions, numerous foreign concerns extract petroleum from fields situated in various regions of Colombia. The best known of these oil fields are

concesiones. Los centros de producción más notables son los del Catatumbo y Barrancabermeja. En el segundo opera la Empresa Colombiana de Petróleos, a raíz de la reversión de la Concesión de Mares que expiró en 1951. El proceso de extracción y refinamiento está complementado por importantes oleoductos que buscan el mar y los centros de consumo y que son, ante todo, obras maestras de ingeniería. La producción anual de petróleo se calcula en cincuenta y cinco millones de barriles.

Esmeraldas

La esmeralda es el símbolo del subsuelo colombiano. Explotada con ingenio por los aborígenes precolombinos y comerciada por ellos en una vasta zona continental, los españoles encontraron en la hermosa gema uno de los mágicos elementos de El Dorado y la joyería moderna le ha dado excelsa categoría. Las principales minas se encuentran en Muzo, Coscuez, Chivor, Somondoco y Bobur, esta última considerada como la más rica del mundo. Las primeras, propiedad de la nación, la administración corresponde al Banco de la República que regula la producción de acuerdo con las necesidades del mercado. La producción de esmeraldas no talladas supera el medio millón de quilates.

Carbón

La producción de carbón sólo ha cubierto hasta el presente la demanda interna del país; empero, debido a la ingente capacidad de sus minas, se adelantan planes de explotación en grande escala, tomando como base los ricos veneros de las regiones del Pacífico y del nordeste del país,

those of Catatumbo and Barrancabermeja. The former is operated by the Colombian Petroleum Company and the latter by the Compañía Nacional de Petróleos. As its name suggests, this is a business run by Colombian capitalists and technicians, and is the sucessor of the organization set up by the Tropical Oil Company, whose government contract expired in 1951. The well-extraction system is complemented by valuable refinery installations and pipe-line connections —genuine feats of engineering— which extend to the seaboard and pass through important areas of consumption. The annual petroleum output is approximately fifty-five million barrels.

The Emerald — Symbolic of the Colombian subsoil is the emerald. Ingeniously exploited by the indigenous tribes and used in commercial relations throughout vast continental territories, the emerald represented one of the magic components of "El Dorado" to the conquering Spaniards, and today it is esteemed as one of the most precious gems by modern jewelers. The principal mines are found in Muzo, Coscuez, Chivor Somondoco and Bobur. The latter is considered one of the richest in the world. The principal industry is owned by the nation, and the administration of the mines is in the hands of the Bank of the Republic, which regulates production according to market demand. The annual production of uncut emeralds exceeds a half million carats.

Coal — The production of coal has until now been limited to the demand of home consumption. Nevertheless, in view of the great capacity of the mines, large-scale opera-

en donde la vecindad del mar facilita su transporte al exterior. La producción anual de carbón, en promedio, es de tres millones y medio de toneladas.

Sal

También bienes de la Nación, las salinas tanto terrestres como marítimas, son administradas por el Banco de la República. Fue la sal elemento importante en la vida económica de los pueblos indígenas, que llegaron a usarla como moneda. Las minas más notables son las de Zipaquirá, que corresponden a verdaderas cordilleras subterráneas, de varios kilómetros de longitud, calculadas en mil millones de toneladas métricas. La producción anual es de trescientas treinta mil toneladas.

Hierro

Durante muchos años el hierro fue tratado empíricamente en pequeñas instalaciones destinadas a satisfacer algunas necesidades de la labor agrícola, aunque en Medellín, Barranquilla y Pacho (Cundinamarca) se llevaron a cabo meritorios esfuerzos de mayor alcance. La industria colombiana del hierro ha tenido un extraordinario fomento con el establecimiento de las Acerías de Paz del Río, en el Departamento de Boyacá, a doscientos noventa kilómetros de Bogotá. Los depósitos de mineral de hierro de la región y la reserva carbonífera, son considerados entre los mayores de América. La fundación de esta siderúrgica marcó un paso fundamental en la industrialización del país, y al presente la producción de aceros terminados se aproxima a las 200.000 toneladas.

tional plans are presently under way. There are vast possibilities in the rich seams of the Pacific and North West regions, where the proximity of the sea would facilitate exportation. Annual production is approximately 3½ million tons.

Salt — The natural sources of salt in Colombia are government owned, and both the marine salt-works and the inland pits are managed by the Bank of the Republic. Salt was a vital commodity in the life of the indigenous tribes, so important, indeed, that it acquired monetary functions. The best-known mines are those of Zipaquirá, a whole mountain system of solid salt, whose reserves have been estimated at one billion metric tons. Annual production amounts to 330,000 tons.

Iron — For many years Colombia's iron was produced in haphazard fashion at small foundries which aimed only at satisfying some of the needs of agriculture. Despite this, in Medellín and Barranquilla, as well as in the small town of Pacho, in Cundinamarca, praiseworthy efforts were made to extend the range and efficiency of iron manufacture. Since then the industry has been remarkably stimulated by the establishment of the Paz del Río steelmills.

Acerías de Paz del Río — Situated in Boyacá, 290 kilometers from the nation's capital, the Paz del Río region is one of the largest iron veins. Its annual productión is close to 200,000 tons. The foundation of these steel mills marked a fundamental step in the industrialization of the nation.

Livestock — As a beast of burden and as an effective means of trans-

Ganadería

Como auxiliar de la labranza y el transporte, el buey desempeñó un papel importante en la transformación de los sistemas aborígenes de trabajo. Industria complementaria de la agricultura en las encomiendas, la ganadería cobró organización apreciable en las dehesas que por su vecindad tenían por objeto surtir con sus productos las concentraciones urbanas; y en las vastas llanuras de Oriente y provincias de Cali, Ibagué y Cartagena, la minoritaria mano de obra de los vaqueros no tardó en incrementar y controlar una ingente prosperidad económica.

Al avance de la ganadería ha contribuído indudablemente la formación de especies criollas de excelente adaptación al medio tropical, provenientes del cruce de otras universalmente conocidas, tal como acontece con el ganado blanco orejinegro y el romo-sinuano. El incremento de las ganaderías Holstein y Normanda en las regiones frías, y de Cebú en las cálidas, es claro indicio de la pujante prosperidad de las industrias lecheras y de la carne.

Las ganaderías colombianas comprenden diecisiete millones de cabezas de vacunos, aproximadamente.

Otros renglones

La producción nacional comprende, además, los siguientes renglones de importancia. En el ramo agrícola, ajonjolí, algodón, cocos, banano y frutas tropicales, cacao, caña de azúcar, caucho, cebada, fique, maíz, naranjas, papa, tabaco, trigo, uvas y yuca.

En el ramo manufacturero, textiles, en primer término, como el más

portation the ox played an important part in the improvement of antiquated agricultural methods.

As a complement to agriculture on the *Encomiendas,* or large estates held by royal grant, small-scale cattle-raising came to be fairly well organized in pastures within easy reach of the town and village consumer. This industry afterwards spread over the vast Eastern Plains and clustered in the provinces about Cali, Ibagué and Cartagena. Since the number of farm-hands and cowboys needed was relatively small, cattle soon became a powerful factor in the growing prosperity of the nation.

The cattle industry has been greatly aided by the development of native breeds which are at home in the tropical environment. Good examples of indigenous cattle, produced by crossing various well-known strains, are the white Blackear —*Blanco-orejinegro*— which is a familiar sight on the uplands and the mountainsides, and the *Romosinuano,* which pastures in the plains near the Sinú. There are at present about seventy million head of cattle in Colombia.

Other National Commodities

Colombia's national production also includes other important commodities. Among agricultural products there are sesame, cotton, coconuts, bananas and other tropical fruits, cacao, sugar cane, rubber, barley, sisal, corn, oranges, potatoes, tobacco, wheat, grapes, and yuca.

Among manufactured products, textiles hold the position of greatest importance owing to the excellent quality of cloth which is produced. Also, there are beer and soft drinks,

importante renglón industrial y con excelentes calidades de telas y paños. También, cervezas, gaseosas, pastas y otros artículos alimenticios, alfombras y bordados, calzados y vestidos, cigarros y cigarrillos, muebles y útiles metálicos, muebles de madera, maquinarias agrícolas e industriales, perfumes, jabones y drogas, cerámicas y joyas, artículos de cuero y caucho, cartón, papel y productos editoriales.

En el ramo minero, antimonio, azufre, asfalto, barita, cal, cemento, cobre, cuarzo, mercurio, manganeso, mica, molibdeno, plata, plomo y zinc.

En el ramo forestal, plantas medicinales, zarzaparrilla, tagua, curare, sarrapia, acajú, mangle, cativo, guayacán, amarillo, roble, nogal, eucalipto, caracolí, balso, cedro, caoba, comino y chonta.

En el ramo pesquero, como productos de mar, la perla, el coral y los mariscos como la langosta, el cangrejo, el camarón común del Atlántico, el camarón gigante de Tumaco, y las ostras. Entre los peces de mar, pargo, róbalo, sierra, picúa o barracuda, bonito, mojarra y mero; entre los peces de río, dorada, curvinata, sardinata, capitán, bagre, capaz, pataló, valentón y panche. Entre la fauna fluvial constituyen atracción especial para pescadores y cazadores, la nutria, la babilla, la garza y la tortuga. La pesca deportiva propiamente dicha se efectúa en lagos, ríos y represas en donde proliferan la trucha arco iris y la carmelita, el salmón de agua dulce y otras especies importadas.

La avicultura y la apicultura inician un notable desarrollo, con base en modernas experiencias. Para la

wheat products and other foodstuffs, mattresses and embroidered cloths, cigars and cigarettes, furniture and metal utilities, agricultural and industrial machinery, perfumes, soap and medicines, ceramics and jewels, leather and rubber goods, cardboard and paper. Mining produces the following minerals: antimony, sulphur, asphalt, bauxite, chalk, cement, copper, quartz, magnesium, mica, silver, lead and zinc.

In Colombia's forests are found numerous medicinal plants: sarsaparrilla, tagua, curare, sarapia, *acaju,* mangrove trees, *cativo,* lignum-vitae, *amarillo,* oak, walnut, eucalyptus, *caracolí,* balsam, cedar, mahogany, the cumin plant and the hardwood palm tree.

Salt water fish common in Colombian markets are shell fish such as lobster, crab, the Atlantic squid, giant crabs of "Tumaco", and oysters; also, pearl and coral, products of these shell fish, are quite common. Among the common salt-water fish marketed by Colombians are to be found porgy, haddock, *sierra,* barracuda, bonito, *mojarra,* and sea bass; and the fresh-water fish: the gilthead, *curvinata,* sardine, *capitán, capaz, pataló, valentón* and *panche.* Among the river species particularly attractive to the fisher and to the hunter are the *nutria,* the *babilla,* the heron and the turtle. Also, the fisherman can find great sport in the lakes, rivers and reservoirs which have been stocked with rainbow and brown trout, fresh-water salmon and other imported species.

Industries which promote bee-keeping and the raising of birds have experienced a notable development,

economía campesina de todas las regiones tiene especial importancia la industria porcina y para las del sur del país, el cultivo del curí (cuy) o conejo de Indias.

Entre las industrias domésticas más características se pueden mencionar la de sombreros de paja (jipa y sinuano), hamacas, artículos de cuero y cuerno, canastos y artefactos domésticos en paja y cumare, cerámicas de excelente mérito artístico como las de la Chamba en el Tolima y Ráquira en Boyacá, barnices vegetales que en el departamento de Nariño son aplicados con maestría a ingeniosos cofres y adornos de mesa, carrieles, ruanas y faldas. Entre los intrumentos musicales se destacan los tiples y las maracas.

Otros aspectos básicos

Los principales artículos de exportación son, en su orden, el café, el banano, el ganado, el oro, las maderas, el petróleo y los productos farmacéuticos. El área cultivada de Colombia es de cuatro millones y medio de hectáreas, relativamente escasa si se tiene en cuenta que la mayor parte corresponde a las zonas de vertiente, faltando por explotar las tierras planas en donde reside el futuro y la promesa de la riqueza agraria del país. Los establecimientos industriales se calculan en ochenta mil. El ingreso nacional se estima en treinta y dos mil millones de pesos anuales y el presupuesto nacional en cinco mil millones, sin contar el correspondiente a departamentos y municipios.

Vías de comunicación

Los problemas creados por la abrupta topografía de Colombia, uni-

and are being run according to advanced methods. In many regions the raising of pigs is of special importance to rural economy, as is that of the *curí*, or Indian rabbit, in some of the southern regions.

Among the typical Colombian industries the most characteristic are the production of straw hats, hammocks, leather goods, articles carved from horn, baskets and domestic goods made from straw and *cumare*, artistic ceramic creations, such as those from La Chamba in Tolima and Ráquira, vegetable varnishes which in the Department of Nariño are masterfully used to decorate boxes and figurines, *carrieles*, *ruanas*, and skirts. Outstanding among the typical musical instruments are the *tiple* and the *maracas*.

Other basic aspects

The principle commodities for exportation are, in order of importance, the following: coffee, bananas, cattle, gold, wood, petroleum, and pharmaceutical products. The total cultivated area of Colombia is some four and a half million hectares, which is relatively little when one takes into account that most of this area is hillside terrain, and that most of the flat lands, where the future for agricultural progress is naturally more promising, have yet to be exploited. The annual national income is estimated at 32 billion pesos, and the national budget hovers around five and a half billion pesos, not including the departmental and municipal budgets.

Means of communication

The problems arising out of the combination of Colombia's rugged topography and her relatively extensi-

da a la relativa gran extensión de su territorio, han dado lugar al desarrollo de determinados medios de transporte que consulten mejor las necesidades del país en materia de vías de comunicación.

Ello explica suficientemente el progreso alcanzado por la aviación comercial, como la preferencia dada al sistema de transporte por carretera. Colombia cuenta actualmente con cerca de cuatro mil kilómetros de ferrocarriles y cuarenta mil kilómetros de vías carreteables.

Carreteras

De la red de carreteras tienen la mayor importancia las correspondientes a tres rutas: las que sirven de guión a la internacional de Buenos Aires-Caracas, y corta el territorio nacional de Suroeste a Nordeste, desde Rumichaca, en los límites con el Ecuador hasta la frontera con Venezuela (1.629 kilómetros); la que parte de Tres Esquinas, sobre el río Caquetá, y termina en Santa Marta, después de cruzar la nación, de Sur a Nordeste (1.794 kilómetros), y la que parte de Turbo, en el Golfo de Urabá, y termina en Puerto Carreño sobre el Orinoco, tras de recorrer el país de Noroeste a Sureste (1.823 kilómetros).

Desde un punto de vista continental la carretera más importante es la Panamericana que entra por Nariño y empalma con la llamada del Darién, de construcción inminente, en la frontera con Panamá.

Ferrocarriles

Los principales son: el del Pacífico, que va de Buenaventura a Armenia (361 kilómetros), y comprende

ve area have led the nation to choose aviation and roadways as the two most practical solutions to the problem of transportation. And, indeed, admirable progress has been made both in commercial aviation as well as in the construction of highways. While there are only approximately four thousand kilometers of railroads, the total length of the nation's roads and highways is well over forty thousand kilometers.

Roads

In the network of roads, there are three which have special importance. One is that which connects Colombian territory to the International Highway from Buenos Aires to Caracas, and which cuts across the country from South-West to North East, from Rumichaca on the Ecuadorian border to the Venezuelan frontier, covering a total distance of some 1,780 kilometers. Another is that which extends 1,784 kilometers from South to North-East, from Tres Esquinas on the Caquetá River to Santa Marta on the Atlantic seaboard. And the third is that which starts at Turbo on the Gulf of Urabá and ends at Puerto Carreño on the Orinoco, having run diagonally across the country from Northwest to Southeast for a distance of 1,817 kilometers.

From a more continental aspect, the highway which will eventually be of major importance to Colombia is the Pan-American Highway. Although it has yet to be constructed, plans show that this new and vital thoroughfare will enter Colombia through the Department of Nariño, crossing the Darien Highway and forming an unbroken line of communication with that part of the Pan

también dos trayectos: Popayán-Cali (159 kilómetros) y Zarzal-Alejandro López (203 kilómetros); el de Bogotá-Ibagué (253 kilómetros); el del Huila, de El Espinal a Neiva (159 kilómetros); el del Nordeste, de Bogotá a Sogamoso (253 kilómetros); el del Norte, de Bogotá a Barbosa (223 kilómetros); el de Antioquia, que comprende dos ramales: Medellín-Puerto Berrío (194 kilómetros); el de Caldas, de Manizales a Cartago-La María (248 kilómetros); el de Santander, de Bucaramanga a Puerto Wilches (117 kilómetros); el de Nariño, de Tumaco al Diviso (105 kilómetros); el de Santa Marta a Fundación (95 kilómetros); el de La Dorada, de Ambalema a La Dorada (111 kilómetros).

En la hoya del Magdalena y con miras a vincular estrechamente la Costa Atlántica con el interior del país, así como con el propósito de colonizar sus feraces tierras, se construyó un gran ferrocarril que, siguiendo las márgenes del río, sirve además para solucionar las deficiencias del transporte fluvial en la época de las sequías.

Este ferrocarril llamado del Atlántico, va de Puerto Salgar a Santa Marta y tiene una longitud de 700 kilómetros y conecta la mayor parte de las vías ferroviarias del país.

Rutas aéreas

Como anteriormente se anotó, lo quebrado del territorio colombiano explica por qué en el país ha tenido tan ejemplar desarrollo la aviación comercial. Evidentemente, el avión estructuró económicamente al país, vinculando las más apartadas regiones y fomentando el progreso de los

American Highway which has been constructed in Panamá.

Railways

The principle railways are: the Pacific Railway, which runs from Buenaventura to Armenia (361 kilometers) and which has a branch line from Popayán to Cali (159 kilometers) and another from Zarzal to Alejandro López; the Northeastern line, from Bogotá to Sogamoso (253 kilometers); the Bogotá-Ibagué Railway (253 kilometers); the Northern line, from Bogotá to Barbosa (223 kilometers); the Antioquia Railway, which consists of two lines —one from Medellín to Puerto Berrío (194 kilometers) and the other from Medellín to La Pintada (144 kilometers); the Nariño Railway, from Tumaco to Diviso (105 kilometers); the line from Santa Marta to Fundación (96 kilometers); and, lastly, the La Dorada Railway, from Ambalema to La Dorada (111 kilometers).

In the Magdalena Basin a new railway is being built which will link the Atlantic Coast to the interior of the country, and which at the same time will open up vast stretches of fertile land to settlers. The Magdalena Railway, starting at Puerto Salgar and terminating at Santa Marta, will have a total length of 700 kilometers and will be linked with most of the existing railways in the country.

Air Lines

It has already been pointed out that the rugged nature of the territory explains why civil aviation has set the pace for the development of

más remotos confines. Fue Colombia la primera nación de la América Latina que con la Scadta estableció un servicio de transportes aéreos (1920) y en la actualidad dispone de una completa red de rutas nacionales e internacionales, servidas casi todas por compañías colombianas.

Todas las ciudades de Colombia están conectadas por servicios de aviación comercial, y el Gobierno mantiene regular comunicación con los más apartados sitios del país (Bogotá-Leticia, Bogotá-San Andrés y Providencia, Bogotá-Puerto Carreño). Bogotá, Medellín, Cali, Cúcuta y Barranquilla son los principales aeropuertos colombianos de servicio internacional. Colombia es, proporcionalmente, la nación de América que tiene un servicio más completo de aviación comercial. La empresa de aviación de mayor importancia es Avianca (Aerovías Nacionales de Colombia, S. A.), que, además de su nutrido plan de operaciones en el interior del país, realiza vuelos regulares a Estados Unidos y a Europa.

Comunicaciones marítimas

Están representadas especialmente por la Flota Mercante Grancolombiana. Fundada en el año de 1946, con la contribución de la Federación Nacional de Cafeteros de Colombia, el Banco Agrícola y Pecuario de Venezuela, y el Banco Central del Ecuador, ha cumplido una función muy importante en cuanto a la organización del transporte marítimo en los tres países y su incorporación a la navegación comercial del mundo. En julio de 1953, Venezuela se separó de la empresa. Mantenida la colaboración entre Colombia y Ecuador,

communications in Colombia. The airplane has obviously given the country its economic structure, binding together distant places, and encouraging progress and prosperity in the more remote regions. Colombia pioneered civil aviation in the South-American continent, and in 1920, with her Scadta, she was the first Latin-American country to establish air transportation service. Today she can boast of a complete network of national and international airlines most of which are served by Colombian companies.

Commercial airline connections between Colombia's major cities are excellent, and it is by means of its planes that the Government keeps in touch with the most distant outposts of the country. Fron Bogotá, government officials are able to fly to Leticia, to San Andrés and Providence and to Puerto Carreño. Excellently equipped for international service are the airports at Bogotá, Medellín, Cali, Cúcuta, and Barranquilla. In proportion to its size, Colombia is the country which has the most complete and extensive commercial air service in America. Her most important aviation company is Avianca —*Aerovías Nacionales de Colombia*— which, in addition to its numerous activities within the country, has established airways to other South American countries, to Europe, and to the United States.

Maritime Communications

The Greater Colombian Merchant Fleet —*Flota Mercante Grancolombiana*— is responsible for most of Colombia's seagoing communication. This organization was founded in 1946 with contributions from the Na-

la Flota ha conservado su experimentada organización, con líneas a Europa y a lo largo del Continente Americano.

Vías fluviales

Existe, regularmente organizada, la navegación en los ríos Magdalena, Cauca, Atrato, Sinú, Meta y Putumayo, la vía más importante es la del Magdalena, en la cual se inició el servicio a vapor hacia el año de 1840.

EL PROCESO ECONOMICO

Economía aborigen y colonial

Los aborígenes que conocieron los conquistadores del Nuevo Reino de Granada tenían una cultura muy deficiente en comparación con la europea de aquella época, y más atrasada que la de incas y aztecas. Los grupos demográficos más avanzados vivían en las altas cordilleras. No disponían, empero, de hierro ni de animales domésticos para facilitar el cultivo de la tierra y el transporte. Sus renglones de producción más importantes eran la agricultura, la manufactura de telas y el laboreo de minas de esmeraldas, oro y sal.

El pueblo chibcha alcanzó un relativo adelanto. Utilizaba como moneda tejuelos de oro, trabajaba con esmero sus labranzas de maíz, ingeniosamente regadas por acequias, construía frágiles pero artísticas casas de cañas, sostenía mercados públicos en forma de ferias destinadas a suscitar el intercambio con otros pueblos, y en su incipiente organización jurídico-civil era importante el concepto de la propiedad.

tional Federation of Colombian Coffee Growers, the Venezuelan Agricultural and Livestock Bank and the Central Bank of Ecuador. It has fulfilled a most important service in the organization of maritime transport for these countries, and in becoming a part of the world's commercial navigation system. In July of 1953, Venezuela withdrew from the enterprise; however, Colombia and Ecuador continue to collaborate in the management of the Fleet, whose organization has gained strength and know-how through experience, and whose ships engage in commerce between the two countries, as well as with other North and South American countries and with Europe.

River-Ways

Regular navigation takes place on the Magdalena, Cauca, Sinú, Meta and Putumayo rivers. Of these the most important waterway is the Magdalena, on which steamer service began as far back as 1840.

THE ECONOMIC PROCESS

The Economy of the Indigenous Indians and the Colonists — The economic culture of the indigenous Indians who met the conquistadors of *El Nuevo Reino de Granada,* was quit deficient as compared to that of the European, and considerably less developed than that of the Inca or the Aztec. The most advanced groups lived in the high cordilleras. They did not, however, use iron or domesticated animals to facilitate transportation and the cultivation of their lands. The most important branches of production were agriculture, the manufacture of cloth and

Los colonizadores españoles aportaron el trigo, poblaron de ganados las praderas desmontadas y revolucionaron los sistemas de trabajo y transporte con la importación del buey, el caballo y la mula. Al mismo tiempo organizaron las actividades agrarias y las empresas colonizadoras a través del sistema de la encomienda.

El cuadro económico de la Colonia está dominado por una manufactura doméstica y una agricultura de escasos renglones al servicio de las necesidades más urgentes de la población, dentro de un método austero de vida, practicado de igual manera por acaudalados y jornaleros, y por una minería afanosamente intensificada merced a la urgencia de enviar a la metrópoli el oro que representaba el prestigio y la promesa de las Indias, y de derivar una buena utilidad después de pagar los quintos reales, impuesto que además de obstaculizar considerablemente la minería, constituía uno de los más desalentadores aspectos del régimen tributario, por lo cual y debido a las prohibiciones de la Corona, el comercio internacional de las Colonias españolas era completamente negativo.

El siglo XIX

La revolución de independencia no influyó inmediata y decisivamente en la transformación económica del país, pues aunque el establecimiento de las libertades y garantías del ciudadano, la supresión de impuestos excesivos, la desaparición de la esclavitud y otras ventajas de orden jurídico estimularon teóricamente el trabajo y la iniciativa de empresa, fueron otros factores los que a lo largo del siglo XIX susci-

the working of emerald, gold and salt mines.

In some aspects, the Chibcha nation had reached a high level of culture. For monetary exchange, they used pieces of gold; they had mastered the cultivation of corn, they constructed ingenious irrigation ditches to supply the necessary moisture; they built fragile but artistic homes of cane; they systematically organized public markets in the form of fairs in which they encouraged exchange of merchandise with other towns; and finally, in their juridical organization, they had a well defined concept of property.

The Spanish colonists brought in wheat, filled the empty prairies with cattle, and revolutionized the methods of work and transportation with the importation of the horse and mule. At the same time they organized farming and colonizing activities with the *encomienda* system.

The economic picture of the Colonial Period is dominated by domestic manufactures and by agriculture dedicated to the cultivation of a few limited crops to satisfy the most elementary needs of the population, and carried on with equal participation by the landlord and by the farmhands. Not to be forgotten in this picture is the all-important exploitation of the gold mines, carried out with an overwhelming intensity resulting from the urgency with which this metal, the symbol of prestige and the promise of the Indies, had to be transported to the city. Another decisive factor which affected mining methods was the desire, on the part of the propietors, to make a reasonable profit. As it was, one-fifth of all the gold mined

taron la prosperidad, de modo especial en los sectores agrarios. Tales la apertura de caminos de herradura, la construcción de ferrocarriles y la organización de la navegación en el río Magdalena; la intensificación de algunos cultivos como los de tabaco, cacao y café, que llegaron a ser fundamento de los principales renglones industriales de este período; la fundación de entidades bancarias con sus correspondientes beneficios en cuanto a la facilidad en las transacciones y fomento del crédito, y la colonización de ricas tierras hasta entonces cubiertas por bosques impenetrables, como las del Quindío, en donde las gentes de Antioquia, con ejemplar tenacidad y pujanza fundaron haciendas ganaderas y agrícolas y levantaron pueblos, muchos de los cuales al poco tiempo se convirtieron en dinámicas ciudades.

Los principales obstáculos del progreso económico fueron la anarquía de la producción, que hizo posible la ruina de cultivos tan prósperos como los del tabaco, la quina y el añil, y las guerras civiles, pue desalentaron al empresario, destruyeron florecientes plantaciones y fundos ganaderos y sustrajeron la mejor mano de obra a la actividad agraria.

La Revolución Industrial

Las consecuencias de la revolución industrial en todos los ámbitos del planeta se hicieron sentir con intensidad en Colombia a principios del siglo XX. La iniciativa particular comprendió que podía destinar sus inversiones con mayor eficacia y mejores resultados, aprovechando las oportunidades que le ofrecía el cambio radical de los sistemas de producción.

was destined to end up in the king's purse in the form of a royal tribute —the *quinto real*— which served as an obstacle to mining operations, constituting one of the most discouraging aspects of the tax system.

The Nineteenth Century

The economic effects of Colombia's Revolutionary War were neither immediate nor decisive, for although the national citizen had won his liberty and was assured freedom from suppressions, from unfair and excessive taxes, and from the fear of slavery, as well as the guarantee of other civil rights which theoretically stimulated progress and free enterprise, there were many obstacles to overcome, especially in the field of agriculture. It was necessary to build roads, to construct railroads, and to organize the river transportation system on the Magdalena. Equally vital for the nation's economic prosperity was the intensification of certain crops, such as tobacco, cacao and coffee, which became the mainstays of national production during this period. Banks were established, and along with them the many subsidiary agencies which facilitated economic transactions and encouraged credit systems. Rich lands, which until then had been covered with inpenetrable forests, were dominated, lands such as those in the Quindío region, whose wild, savage character did not long resist the tenacity and vigor of the Antioquians who invaded it and soon established their farms, their ranches and their towns which were rapidly converted into dynamic cities.

The principle obstacles to economic progress were the faulty organization of production, which at times

Empero, se encontró con el problema de la impreparación técnica, en especial del trabajador. En largo proceso de adaptación, los campesinos se convirtieron en obreros, y a medida que surgían fábricas e instalaciones industriales, se perfilaron los conflictos entre capital y trabajo, y entre ciudad y provincia. El primero determinó costumbres, y luégo leyes y reglamentos, en orden a la armonía de las relaciones laborales y defensa del asalariado; el segundo originó el éxodo del campo hacia las concentraciones urbanas, con los consiguientes problemas de la congestión de éstas y despoblación de aquél, lo cual impuso la diligente atención del Estado para evitar un peligroso desequilibrio demográfico-económico.

La adopción de técnicas adecuadas, la preparación de la mano de obra competente y la destinación de capitales que secularmente se habían mantenido ociosos o dedicados a las actividades agrarias, estimularon notablemente el desarrollo industrial en la mayoría de las ciudades, pero de manera señalada en Bogotá, Medellín, Barranquilla y Cali, de acuerdo con la consigna de abastecer el mercado interno con artículos de primera necesidad relativos a alimentación y vivienda.

Además de los ya señalados, factores importantes del desarrollo económico han sido: la orientación de la universidad colombiana hacia nuevos campos profesionales, acordes con las necesidades económicas y técnicas del país; el apoyo oficial a las industrias, en forma de protección aduanera, facilidades legales y colaboración intelectual y financiera; el mejoramiento del nivel de vi-

led to the failure of such important crops as tobacco, quinine and indigo, and the numerous civil wars, which discouraged the entrepreneur, destroyed growing plantations and livestock enterprises, and diminished the labor force, so necessary for the maintenance of agriculture.

The industrial revolution

Toward the beginning of the Twentieth century the industrial revolution with its many consequences began to be felt in Colombia. By means of private initiative it was possible to make investments with greater efficiency and more favorable returns, and the opportunities offered by the radical change in the system of production were easily take advantage of.

However, many problems arose from inadequate technical preparation, especially that of the worker. During the long process of adaptation, field workers were gradually converted into factory workers, and as factories and industrial enterprises were established the conflicts between capital and labor, and between the city and the province became much more sharply defined. The conflict between labor and capital determined customs and later on was responsible for the establishment of laws and regulations which would assure harmonious labor relations and defend the man who worked for a salary; and the second, the confict between the city and the province, gave origin to the exodus from the country to the urban districts, resulting in the depopulation of the former and the congestion of the latter, a dangerous situation which had to be controlled by the

da, aparecido en primer lugar en las concentraciones urbanas y extendido poco a poco a la provincia; el desarrollo de los sistemas de transporte, particularmente de la aviación, que estructuró la actividad económica, vinculó sitios hasta entonces aislados y determinó una verdadera revolución en cuanto a circulación e intercambio de personas y productos.

La mecanización de la agricultura significa uno de los adelantos más provechosos para la economía nacional, así como la selección científica de las semillas y la racionalización de los cultivos. Ejemplares experiencias se han llevado a cabo en granjas y escuelas agrícolas, siendo quizás las más avanzadas las realizadas en Tibaitatá. Todo ello armonizado con ambiciosas obras de riego en grande escala, como las ejecutadas en el Tolima y las proyectadas dentro del Plan Lilienthal, que pretende reconvertir económicamente las ricas regiones del Valle del Cauca, a la manera intensa de lo logrado en el Valle de Tennesee. Otro factor de progreso agrario ha sido la inteligente aclimatación y cría de ganados de gran calidad como Holstein, Normando, Shorthon y Cebú y la obtención de tipos criollos como el vacuno orejinegro y el caballar de paso, completamente adaptados al medio climatológico y a las condiciones del trabajo cotidiano. Sanidad campesina y fuerza eléctrica son también factores que han venido siendo incrementados para beneficio de los sectores agrarios y seguramente serán fomentados aun más en un próximo futuro, de acuerdo con las exigencias de la prosperidad rural de Colombia.

State in order to avoid excessive disequilibrium in the distribution of the population.

The adoption of adequate techniques, the preparation of a competent labor force, and the investment of capital which before had either been idle or entirely destined to agriculture, were factors which stimulated industrial development in a great many cities, particularly those of Bogotá, Medellín, Barranquilla and Cali, whose goal was to supply the internal market with those articles necessary to the diet and for the maintenance of the home.

Aside from the economic factors already mentioned, others which played an important role in the nation's development and which should not escape mention are: the orientation of the Colombian universities toward new professional fields, in accord with the economic and technical needs of the country; official support of industry in the form of protective tariffs, legal facilities and intellectual and financial collaboration; a rise in the standard of living, which appeared first in urban districts, spreading slowly to more remote provincial regions; and the development of transportation, particularly aviation, which served as the backbone of economic activity, brought previously isolated regions into contact with the rest of the nation, and caused a veritable revolution in the interchange of people and of goods.

The mechanization of agriculture signifies one of the most profitable advances for the national economy, as do also the scientific selection of seeds and the intelligent planning of crops. Of the many experiments which have been carried on in agri-

El comercio ha tenido, igualmente, incremento paralelo, determinado por la necesidad de distribuir metódicamente los productos de la industria autóctona, pero ante todo, por el mejor nivel de vida que fue causa de un noble movimiento de importación complementado a su turno por uno así mismo importante de exportación con base en el café y en otros productos agrícolas de gran demanda en el mercado universal.

En la actualidad Colombia, y no obstante los desajustes demográficos y económicos causados por graves situaciones de orden público, continúa siendo una nación especialmente agrícola, pero también posee una considerable industria, lo cual da a su economía, además de promisorias posibilidades, doble condición de equilibrio y solidez.

Principales agencias económicas

Como manifestación de la iniciativa privada puede citarse la actividad industrial de Bogotá, Medellín, Cali y Barranquilla, que en Antioquia tuvo pujante iniciación con el acicate de la tradicional diligencia de su pueblo y las difíciles circunstancias del medio agrícola que imponían otro campo de labores económicas.

Esta suma de empresas que, sin duda alguna, representa la avanzada industrial del país, por el volumen de producción, el adelanto de las técnicas y la formación de personal capacitado, ha servido de estímulo y ejemplo para el resto del país y facilitado notables experiencias no sólo en lo tocante a la armónica rela-

cultural schools and on farms, perhaps the most advanced are those realized in Tibaitatá.

Also of great importance have been the large-scale irrigation projects developed in Tolima, and included within the Lilienthal Plan to be undertaken in the rich regions of the Cauca, much in the same manner as those of the Tennessee Valley. Another factor in agricultural progress has been the intelligent acclimation and breeding of high-quality cattle, such as Holstein, Normandy, Shorthorn and Cebú, along with the development of native breeds, such as the *orejinegro* cow and the *de paso* horse, strains which are completely adapted to the climate and working conditions. Rural hygiene and electricity are also factors which are increasingly more common and beneficial for agrarian areas, and in the near future they will undoubtedly expand to meet the growing demands of rural prosperity.

The field of commerce experienced an expansion similar to that of the other fields. This expansion came about because of the necessity of methodical distribution of native industrial products, and, more so, because of the higher standard of living due to increased importation, complemented by the exportation of coffee and other agricultural products to meet the demand of the world market.

At present, notwithstanding the economic and demographic maladjustments caused by the serious internal situation, Colombia continues to be an essentially agricultural nation; however, she possesses considerable industry, which besides embod-

ción entre capital y trabajo y al mejoramiento del nivel de vida del obrero, sino también en cuanto al surgimiento de nuevos rumbos profesionales con su correspondiente eco en el ámbito universitario, y en el justo anhelo de satisfacer las necesidades del consumo interno con el trabajo y los recursos del hombre y la tierra nacionales.

La Asociación Nacional de Industriales (Andi) ha ejercido vigorosa influencia en la creación y fomento de las industrias esenciales del país. La pequeña industria también se ha organizado a través de una entidad llamada Acopi (Asociación Colombiana de Pequeños Industriales). El desarrollo comercial ha sido apreciablemente estimulado por la Federación Nacional de Comerciantes (Fenalco).

Factor decisivo en el impulso del progreso económico ha sido la actividad de numerosas entidades de organización crediticia y gremial y de otras creadas con fines de cooperación, orientación y ayuda al productor colombiano. Debe señalarse principalmente el papel que en el auge de la industria de los cafeteros ha tenido la Federación Nacional que lleva su nombre. Esta institución que opera desde 1927, tiene un triple objeto: coordinar la concentración de productos en oferta, tanto de grandes haciendas como de pequeños fundos, con las consiguientes ventajas para el cultivador; establecer grandes almacenes de depósito para garantizar la adecuada conservación del grano y la conveniente constitución de reservas y gestionar con unidad de criterio y procedimiento la venta del café en el extran-

ying promise for the future, lends equilibrium and stability to her economy.

Principal Economic Agencies

An excellent example of private initiative is the industry carried on in Antioquia. The traditional diligence of the Antioquians has overcome the geographical difficulties of the region and has achieved noteworthy results in agriculture. They have also established a series of enterprises which well represent the industrial advancement of the nation, as shown in the volume of production, in technical progress, and in the formation of capable personnel. The enterprise of the Antioquian industry has served as an example to the whole country, and has been the subject of notable experiments in the field of harmonious relations between capital and labor, the betterment of the worker's standard of living and the appearance of new professional careers, facilitated by the university atmosphere of the region and motivated by the desire to satisfy the needs of the internal consumer by means of the combined efforts of man and the national land.

The National Industrial Association. —*Asociación Nacional de Industriales* (Andi)— has exercised great influence over the creation and development of essential industries. Small industry has also been organized through an entity called Acopi —Asociación Colombiana de Pequeños Industriales— (Colombian Association of Small Industries). Also, commercial development has in large degree been stimulated by the National Commercial Federation

jero, con favorable incidencia en la estabilidad del precio y en la política protectora de la industria. También se preocupa la Federación de investigar los mejores sistemas de cultivo y beneficio, para lo cual sostiene escuelas experimentales modelos, y así mismo estimula la elevación del nivel de vida en las zonas cafeteras.

A la formación de la costumbre del crédito contribuyó eficazmente el Banco de Bogotá fundado en 1870 y al acrecentamiento del comercio por el sistema de aseguro de la mercancía prestó un meritorio aporte la Compañía Colombiana de Seguros, establecida en 1874. El sentido democrático del apoyo oficial a la iniciativa de los particulares cristalizó en la Caja de Crédito Agrario, Industrial y Minero que ha sido parte decisiva en la prosperidad de la agricultura nacional.

El Banco de la República es el órgano principal de la estabilidad financiera y monetaria del país. Fue fundado en 1923, de acuerdo con las recomendaciones de la Misión Kemmerer, con el doble carácter de emisor de billetes y de oficina reguladora de la actividad bancaria del país. Tanto los bancos comerciales nacionales como los extranjeros que operan en Colombia, deben ser accionistas de él. Su ley orgánica lo faculta para efectuar operaciones de préstamo y descuento a los bancos accionistas y a la Nación, los Departamentos y los Municipios; para defender sus reservas metálicas en caso de crisis, y para facilitar el comercio del oro con exención de impuestos. Por disposiciones especiales tiene a su cargo la administración de las minas de sal y esmeraldas y el control

—La Federación Nacional de Comerciantes (Fenalco).

Of decisive importance to Colombia's economic progress has been the organization of credit-extending agencies, labor unions, and other enterprises whose aims are to cooperate with and to help the Colombian producer. Particularly outstanding for the support it has lent national industry is the National Federation of Coffee Growers *—Federación Nacional de Cafeteros—*. This institution has been in operation since 1927, and has a threefold objective: to coordinate the production of coffee, both by large land-holders and small, offering the following advantages to the coffee producer: the establishment of large storage warehouses which guarantee adequate conservation of the coffee bean, a wise accumulation of reserves, and the just determination of sales to foreign markets, heeding always the necessity of establishing stable price policies to protect the industry. The Federation is also responsible for the investigation of cultivation methods, and for this purpose it maintains model experimental schools, which in turn contribute to better the standard of living in the coffee raising regions.

The Bank of Bogotá, founded in 1870, efficiently contributed to the formation of credit, and in the field of insurance The Colombian Insurance Co. *—La Colombiana de Seguros—*, founded in 1874, merits praise for its work as a pioneer. The official support of democratic sentiments combined with private initiative joined to form the Agricultural, Industrial and Mining Bank of Credit *—Caja de Crédito Agrario, Indus-*

de los cambios internacionales.

La moneda colombiana es el peso, fraccionada en cien partes o centavos. Pertenece al régimen de patrón de oro y sus billetes, emitidos por el Banco de la República, son de circulación forzosa.

Como desarrollo de la Ley de la Reforma Agraria sancionada en 1961, se ha establecido un instituto (Incora) encargado de llevar a cabo los objetivos determinados por el legislador, o sea aumentar el número de propietarios en capacidad de explotar la tierra con técnica y voluntad, de fomentar la producción agrícola y pecuaria, y de elevar el nivel de vida de los sectores rurales.

Es indudable que por razones de juventud nacional las necesidades económicas y sociales más dominantes e imperiosas que contempla el país son las de capital y técnica; así como en lo demográfico la inmigración es, por excelencia, el factor llamado a fomentar el progreso general, ya que hasta ahora el pueblo ha permanecido prácticamente al margen de los benéficos y transformadores desplazamientos de población europea hacia la América Latina. De donde se concluye la importancia que para Colombia tiene la cooperación internacional.

Una visión socio-económica de Colombia

En forma original para este trabajo, el Dr. Jorge Restrepo Hoyos, en quien se aunan el espíritu investigativo, la experiencia administrativa y la autoridad en materias económicas y sociales, escribió el siguiente concepto sobre el panorama económico y social del país, que por su carácter de síntesis y su sentido de equilibrio,

trial y Minero— which has played an important part in the agricultural prosperity of the nation.

The Bank of the Republic is the country's principal organ of financial and monetary stability. Following recommendations of the Kemmerer Mission, it was founded in 1923 with the double responsibility of issuing currency and regulating national bank activities. National banks of commerce, as well as foreign banks operating within the country, are shareholders in the Bank of the Republic. Its flexible organization allows it to extended loans and discounts to its member banks, to the nation, the departments, and the municipalities, to defend its gold reserves in the event of a crisis; and to facilitate gold transactions by tax exemptions.

The Colombian monetary unit is the *peso,* which is divided into one hundred parts, each of which is called a *centavo.* The gold standard is followed, and the Bank of the Republic issues all currency, whose circulation is obligatory.

To develop the Law of Agrarian Reform which was promulgated in 1961, there has been established an institute (Incora) in charge of enforcing the objectives determined by the legislature; that is, to increase the number of landlords in capacity to develop the land with technique and good will, to increase the agricultural and livestock production and raise the living standards in the rural areas.

Because of the relative youth of the nation, it is obvious that her predominant economic and social needs are capital and technique. Until now

constituye un excelente elemento de juicio para nacionales y extranjeros.

"Es un hecho evidente que el proceso del desarrollo de Colombia en los últimos tiempos, la ha colocado entre las cuatro naciones de mayor avance en la América Latina. Su clase dirigente, de la más alta categoría en el concierto latinoamericano, ha creado una industria, fruto casi exclusivo del esfuerzo nacional, del capital nacional y de las gentes de la nación. Con razón un experto economista de M. I. T. (Massachussetts Institute of Technology) calificó con admiración nuestra industria, como la más autóctona de la América Latina. Tenemos una clase obrera inteligente, con mucha imaginación, con gran capacidad de asimilación a pesar de su bajo grado de preparación y con una especial disposición para la mecánica. Tenemos una clase media cada día más extensa, que por esta misma circunstancia y por su gradual aunque lenta capacitación, será en el futuro un decisivo factor de equilibrio social en el acelerado proceso de transformaciones que se está operando en los países ubicados dentro del área que recibe el feo calificativo de subdesarrollados".

"Tenemos de tiempo atrás una legislación laboral avanzada; nuestro régimen tributario, que ha llegado a niveles quizás excesivos para el grado de nuestro desarrollo, está operando sensiblemente el proceso de redistribución de los ingresos que tánto recomiendan economistas, sociólogos y políticos".

"Hemos llegado a un grado de autoabastecimiento en muchas de nuestras necesidades primordiales, que ha sido realmente salvador para

it has been evident that one of the greatest allies of general progress has been the beneficial immigration from European countries, and the consequent permeation of Old World ideas and techniques throughout the South American continent. This clearly indicates the importance of international cooperation for the future development of Colombia.

A Socio-Economic View of Colombia

Dr. Jorge Restrepo Hoyos, prepared in original form for this publication the following overview, which in its balance and synthesis constitutes an excellent judgment for nationals and foreigners.

"It is quite evident that the recent development of Colombia has placed it among the four most advanced nations of Latin America. Its governing class, one of the most distinguished in Latin America, has created an industry by the almost exclusive use of national effort and capital, and the capacities of the Colombians themselves. With reason an economics expert of M.I.T. expressed his admiration of our industry as the most independent in Latin America. We have an intelligent, imaginative, working class, with a great assimilative capacity in spite of its low level of training and with a special mechanical aptitude. We have a steadily growing middle clase, which, as it continues to grow and to acquire gradually greater competence, will be in the future a decisive factor for a well-balanced social structure in the swift process of transformation being effected in countries located in the areas called underdeveloped.

librarnos de la catástrofe que hubiera podido provocar, sin esa defensa, el pronunciado descenso en nuestros ingreso de divisas".

"Tenemos tierras excelentes en la sabana de Bogotá, en el Valle del Cauca, en el Tolima, en los departamentos de la Costa Atlántica y en otras regiones del país, capaces de sustentar ampliamente a nuestra creciente población y para sumarse, con el empleo de mejores técnicas y el incremento de la productividad por unidad de culto o de explotación, al empeño nacional de diversificar nuestras exportaciones".

"Tenemos muchas cosas buenas, pero también grandes fallas y grandes deficiencias".

"El deterioro en los términos de nuestro intercambio causado por la sensible baja en los precios de nuestra principal fuente de divisas y la lucha que ya ha aflorado a la superficie en nuestro medio, entre dos filosofías y dos concepciones políticas que se disputan el predominio en el mundo, han contribuído grandemente a debilitar en forma peligrosa, el temple de nuestro espíritu, el vigor en el esfuerzo necesario para incrementar el ritmo de nuestro desarrollo, nuestra disciplina y muchos resortes morales".

"Mirando las cosas desde este ángulo, tenemos que volver los ojos, instintivamente, hacia la universidad. Y mirando hacia ella adquiere proporciones gigantescas su misión de ofrecerle al país los técnicos que tanto necesita y generaciones de futuros dirigentes capaces de amortiguar egoísmos y de crear un ambiente de disciplina, de sentido de responsabilidad y de auténtica solidaridad nacional".

"We have had advanced labor legislation for a long time; our tax system, which has reached a stage perhaps beyond our actual level of development, is effectively achieving the process of redistribution of income, as recommended by economist, sociologists, and politicians.

"We have reached the level of self-sufficiency in many of our basic necessities, and this really saved us from the catastrophe which might have been brought about by the sharp decline in our foreign exchange income.

"We have excellent lands in the plains of Bogotá, in the Cauca Valley, in Tolima, and the Atlantic Coast areas and other regions of the country, capable of fully sustaining our growing population and also, with the use of advanced techniques and an increase in productivity per unit of cultivation or exploitation, of providing the great diversity of exports that the country needs so badly.

"We have many good things, but there are also serious deficiencies.

"The deterioration of our international balance of payments caused by the sharp drop in the price of coffee, which was our chief source of foreign exchange, and the struggle which has arisen in our world between two philosophies and two political ideologies which are striving for predominance, have contributed to a serious weakening of our spiritual fibre, of the vigor and energy necessary to speed the pace of our development, of our sense of discipline and of many moral forces.

"When we see things this way, we instinctively turn our eyes to the university, source of technicians and of capable administrators".

CASA DE MONEDA, BOGOTA
THE MINT, BOGOTA
Fot. Hernán Díaz

ACERIAS DE PAZ DEL RIO
PAZ DEL RIO STEEL MILLS
Cortesía de Paz del Río

FLOTA MERCANTE GRANCOLOMBIANA
GREATER COLOMBIAN MERCHANT FLEET
Cortesía de la Flota

FUTURO EDIFICIO DE AVIANCA
FUTURE AVIANCA BUILDING, BOGOTA ▶
Fot. Germán Téllez. Cort. APE

REFINERIAS DE ECOPETROL
ECOPETROL REFINERIES
Fot. Guillermo Angulo

CUPULA DE SAN IGNACIO Y BANCO DE BOGOTA
CUPOLA OF SAN IGNACIO, AND BANK OF BOGOTA ▶
Fot. Guillermo Angulo

GANADERIA DE CORDOBA
CATTLE RANCH IN CORDOBA
Cort. del Banco de la República

SALINAS MARITIMAS
SEACOAST SALT LAKES
Cort. del Banco de la República

Capítulo V

RESUMEN DE HISTORIA POLITICA Y CULTURAL

LA historia de Colombia se divide en cuatro épocas: Conquista, de 1499 a 1550; Colonia, de 1550 a 1810; Independencia, de 1810 a 1819 y República, de 1819 hasta nuestros días.

Conquista

Durante esta época se efectuó el descubrimiento y dominación del territorio nacional, en dos períodos de intensa lucha contra los naturales y los elementos: el de la conquista de los litorales (1499 a 1538) y el de la conquista del interior del país (1538 a 1550).

Conquista de los litorales.

Fue iniciada por Américo Vespucio y Juan de la Cosa quienes en 1499 llegaron a la Península de La Guajira. Posteriormente Juan de la Cosa, Alonso de Ojeda, Rodrigo de Bastidas, Vasco Núñez de Balboa y Pedro de Heredia, recorrieron las costas del Caribe tratando de establecer poblaciones que facilitaran la obra de la dominación y sirvieran de base para futuras expediciones. Hecho de singular importancia fue el descubrimiento del Océano Pacífi-

Chapter Five

SUMMARY OF COLOMBIAN HISTORY

THE history of Colombia is divided into four periods: the Conquest, from 1499 to 1550; the Colonial period, from 1550 to 1810; Independence, from 1810 to 1819; and the Republic, from 1819 until the present day.

The Conquest

During this period the discovery and conquest of the territory of the nation was accomplished, in two fierce struggles with the native inhabitants and the elements: the conquest of the coast (1499 to 1538), and the conquest of the interior of the country (1538 to 1550).

The Conquest of the Coasts

The conquest of the coasts was begun by Américo Vespucci and Juan de la Cosa, who reached the Peninsula of the Guajira in 1499. Later on, Juan de la Cosa, Alonso de Ojeda, Rodrigo de Bastidas, Vasco Núñez de Balboa, and Pedro de Heredia criss-crossed the coasts of the Caribbean attempting to establish settlements which would make the task of conquering the country easier, and would serve as bases for future

co llevado a cabo por Balboa el 25 de septiembre de 1513. También por entonces se fundaron las primeras ciudades de Colombia. Las más antiguas, San Sebastián de Urabá y Santa María del Darién (1509) fueron destruídas por los indios. Subsisten Santa Marta y Cartagena de Indias; la primera fundada por Bastidas en 1525 y la segunda por Pedro de Heredia en 1533.

Conquista del Interior

Con el propósito de descubrir las cabeceras del Río Magdalena, Gonzalo Jiménez de Quesada salió de Santa Marta con una expedición numerosa. Padeciendo grandes aflicciones remontó las aguas de la poderosa arteria, y hacia la altura del Opón siguió por tierra para penetrar en la Sabana de Bogotá, sede principal de la nación chibcha. Esta expedición, "la tercera en grandeza y majestad" de cuantas se emprendieron durante la Conquista del Nuevo Mundo, culminó con la fundación de Santa Fé de Bogotá el 6 de agosto de 1538.

Coincidieron con la expedición de Quesada dos más: la de Nicolás Federmann, que salió de Venezuela y llegó a la Sabana de Bogotá después de atravesar las Llanuras Orientales, y la de Sebastián de Belalcázar que partió del Ecuador y después de fundar varias ciudades tocó la misma meta de Quesada y Federmann, estimulada por el mito de El Dorado.

En adelante se llevaron a cabo diferentes empeños conquistadores que fueron sucesivamente descubriendo e incorporando al dominio español el resto del territorio colombiano. Entre las nuevas expediciones las más importantes fueron la del Mariscal Jorge Robledo en tierras de

expeditions. An accomplishment of special importance was the discovery of the Pacific Ocean by Balboa on September 25, 1513. At about the same time, the first cities of Colombia were founded. The first two, San Sebastián de Urabá and Santa María del Darién (1509), were destroyed by the Indians. Still in existence are Santa Marta and Cartagena de Indias; the former founded by Bastidas in 1525, and the latter by Pedro de Heredia in 1533.

The Conquest of the Interior

Gonzalo Jiménez de Quesada left Santa Marta with a large expedition with the idea of discovering the headwaters of the Magdalena River. After suffering Homeric difficulties he left the river, continued overland to the heights of the Opón mountains, and entered through northeastern Cundinamarca into the savannah of Bogotá, principal center of the Chibcha nation. This expedition, "the third in size and majesty" of all those made during the conquest of the New World, ended with the founding of Santa Fé de Bogotá on August 6, 1538.

Simultaneously with that of Quesada, two other expeditions took place: that of Nicolás de Federmann, who left Venezuela and reached Bogotá after crossing the eastern plains; and that of Sebastián de Belalcázar, who after founding Quito, Ecuador, and various other cities, reached the same point as Quesada and Federmann, led on by the myth of El Dorado.

From that time forward various attempts at conquest were carried out, which little by little explored and brought under Spanish domi-

Antioquia, la de Gonzalo Suárez Rendón, fundador de Tunja, y la de Jerónimo de Lebrón, que llevó al interior de Colombia con las primeras mujeres europeas, las semillas y los ganados que constituyeron la base de la riqueza rural del Nuevo Reino.

Los grupos indígenas que poblaban el territorio nacional en la época de la conquista, pertenecían a dos grandes familias: la caribe y la andina. A la primera, distinguida por el nomadismo y sentido beligerante de la vida, pertenecían los habitantes de la Costa Atlántica (taironas, calamares, sinúes y urabaes) y algunos pueblos ribereños del Magdalena (pijaos y panches); a la segunda, singularizada por el sedentarismo y el carácter industrioso, correspondían los núcleos sociales más evolucionados (chibchas y quimbayas).

Los chibchas eran ante todo agricultores y poseían un excelente principio de organización nacional. Su cultura no alcanzó el esplendor de la incaica o de la azteca, pero merece la consideración de los americanistas por sus elevados conceptos morales, sus interesantes sistema de gobierno y sus meritorias realizaciones artísticas.

Colonia

Esta época se subdivide en tres períodos: Real Audiencia, de 1550 a 1564; Presidencia, de 1564 a 1717; y Virreinato, de 1717 a 1810.

Real Audiencia

El breve período de la Real Audiencia correspondió a la necesidad de establecer un gobierno transitorio. mientras se consolidaba la obra

nion the rest of what is now Colombia. Of the later expeditions, the most important were those of Mariscal Jorge Robledo, in the region of Antioquia; Gonzalo Suárez Rendón, founder of Tunja; and Jerónimo de Lebrón, who took into the interior of Colombia the first European women, and the seeds and cattle which formed the base of the rural wealth of the New Kingdom.

The indigenous groups that inhabited the country at the time of the Conquest belonged to two large families, the Caribbean and the Andean. The first group, warlike nomads, included the inhabitants of the Atlantic Coast (Tairona, Calamar, Sinú, and Urabá) and some of the tribes along the Magdalena River (the Pijao and Panche tribes); the latter group, sedentary and industrious, included the most advanced social nuclei (the Chibchas and Quimbayas).

The Chibchas were primarily farmers, and possessed an excellent form of national organization. Their culture did not reach the splendor of the Incas or the Aztecs, but it deserves the study of Americanists because of its high moral concepts, its interesting system of government, and its praiseworthy artistic achievements.

The Colonial Period

This period is divided into three: Real Audiencia, from 1550 to 1564; Presidencia, from 1564 until 1717; and Viceregency, from 1717 to 1810.

Real Audiencia

The brief period of the Real Audiencia was due to the necessity of establishing a transition government,

de la conquista. La Real Audiencia tenía su sede en Bogotá y pronunciaba sus decisiones por votación.

Presidencia

La Presidencia tuvo por objeto unificar el mando en la persona de un Presidente de Audiencia, verdadero delegatario del Rey y de las entidades administrativas de la América, como el Consejo de Indias. Durante este período se colocaron las bases del progreso nacional con la apertura de caminos, construcción de edificios públicos, fundación de escuelas y colegios, imposición de sistemas monetarios y divulgación de la religión, el idioma y las costumbres de España. También en este tiempo se sometieron los últimos grupos de indígenas rebeldes, de los cuales el de los pijaos fue el último en rendirse.

Los sucesos históricos de mayor significación durante la Presidencia son los relacionados con las actividades de los piratas ingleses y franceses que asolaron y saquearon varias veces las incipientes ciudades de Santa Marta, Cartagena y Riohacha. Los corsarios Francis Drake y Enrique Morgan causaron las mayores aflicciones al Nuevo Reino; bajo su aspecto de voraces y aventureros eran realmente eficaces instrumentos de Inglaterra en la lucha contra España por el dominio de los mares.

Los hechos culturales más importantes de este período son la fundación de los colegios de San Bartolomé y de Nuestra Señora del Rosario, y la aparición de los libros del historiador Fernández de Piedrahita, del cronista picaresco Juan Rodríguez Fresle y de la mística Francisca Josefa del Castillo y Guevara.

while the work of the Conquest was being consolidated. The Real Audiencia had its seat in Bogotá, and reached its decisions by vote.

Presidencia

The Presidencia had as its object the unification of command in the person of a President of the Audiencia, a delegate of the King and of the administrative entities of America, such as the Council of the Indies. During this period the bases were laid for national progress; roads were opened, public buildings erected, school founded, a monetary system imposed, and the language, religion, and customs of Spain were spread. Also, during this period the last rebellious tribes were put down, last to surrender being the Pijaos.

The historical events of greatest significance during the Presidencia are connected with the activities of the English and French pirates who beseiged and sacked on several occasions the new cities of Santa Marta, Cartagena and Riohacha. The raiders Francis Drake and Francis Morgan caused the worst damage to the New Kingdom. Under the guise of rapacious adventurers they were really efficient instruments of England in her struggle against Spain for the dominion of the seas of the world.

The cultural achievements of greatest importance in this period were the founding of the schools of San Bartolomé and Nuestra Señora del Rosario and the publication of the books of the historian Fernández de Piedrahita, the picaresque chronicles of Juan Rodríguez Fresle, and the mystic prose of Francisca Josefa del Castillo y Guevara.

El presidente que más se distinguió por su empeño progresista y su noble sentido de la justicia fue Venero de Leiva, que estableció la navegación en el Magdalena. El instituto de colonización social y económica de estos días fue la encomienda, que con frecuencia se convirtió en disimulado medio de explotación del índigena.

Virreinato

La constitución del virreinato tuvo su origen en la necesidad de confiar al gobernante una gran suma de poderes civiles y militares, en tal forma que en momentos difíciles hiciera las veces del rey. Establecido en 1718 duró inicialmente hasta 1723 año en que se adoptó de nuevo la Presidencia. En 1740 Sebastián de Eslava asumió plenamente las funciones virreinales, con el objeto de preparar la defensa del país contra una posible invasión inglesa.

En 1741, Cartagena fue atacada por una poderosa escuadra británica al mando del Almirante Eduardo Vernon. Bajo la dirección de Blas de Lezo, la ciudad resistió heroicamente y después de una memorable acción ante el Castillo de San Lázaro, los sitiadores tuvieron que retirarse desmoralizados y diezmados. Se produjo así el más grave revés que las aspiraciones imperiales de Inglaterra sufrieron en la América Española.

El virreinato fue benéfico para el progreso del país. Bajo la inspiración de Messía de la Cerda, Ezpeleta, Caballero y Góngora y Mendinueta, se establecieron imprentas, bibliotecas y notables entidades culturales, y se emprendieron obras administrativas de gran aliento.

The president who distinguished himself most for his progressive efforts and his great sense of justice was Venero de Leiva, who established the navigation of the Magdalena River. The social and economic institution of the colonization characteristic of those days was the "encomienda", which frequently became a covert means of exploiting the Indians.

The Viceregency

The institution of the viceregency originated in the necessity of giving the governor a great number of civil and military powers, in such a way that in difficult times he could act in the capacity of the King. This necessity was made clear in 1739, during the war with England. Nominally the first Viceroy was Jorge Villalonga (1719), but in reality the one who first fully assumed the character of viceroy was Sebastián de Eslava, charged with preparing the defense of the country against a possible English invasion.

In 1741 Cartagena was attacked by a powerful British squadron under the command of Admiral Edward Vernon. Under Blas de Lezo the city resisted heroically and after a memorable action at the Fort of San Felipe de Barajas the beseigers had to retire demoralizad and decimated. This was the greatest reverse suffered by the imperial aspirations of England in South America.

The Viceregency promoted the progress of the country. Under Messía de la Cerda, Ezpeleta, Caballero y Góngora and Mendinueta, printing presses, libraries, and notable cultural

Con Messía de la Cerda llegó al país el sabio gaditano José Celestino Mutis, insigne maestro que preparó una egregia generación de científicos, estimuló el estudio de la naturaleza colombiana y cristalizó sus aspiraciones nobilísimas en la Expedición Botánica, de imperecedero recuerdo.

El magno acontecimiento político de este período fue la Revolución de los Comuneros. Descontentos por los excesivos impuestos que el Visitador Gutiérrez de Piñeres ordenó para mantener la Armada de Barlovento, en los primeros meses de 1781, los vecinos de Socorro y otros municipios del nordeste del país se alzaron contra el gobierno y marcharon sobre Santa Fé para imponer sus condiciones.

Con el objeto de evitar que la ciudad cayera en manos de los revolucionarios, los notables de la capital enviaron a su encuentro una comisión presidida por el Arzobispo-Virrey Caballero y Góngora. En Zipaquirá se firmaron solemnemente las capitulaciones que consagraban el triunfo del movimiento y que las autoridades españolas desconocieron después, una vez que los comuneros regresaron a sus hogares. Ante la actitud de los gobernantes se rebeló un pequeño sector popular bajo el mando de José Antonio Galán. Debido a la política del terror y a la superioridad de los recursos militares, el valiente caudillo fue derrotado y ajusticiado, en asocio de sus mejores capitanes.

También a finales de este período se produjo el movimiento preliminar de la revolución de independencia, representado por las siguientes causas:

entities were established, and major administrative works begun. With Messía de la Cerda, the scholar José Celestino Mutis reached the country. He was an excellent teacher who prepared an outstanding generation of scientists, stimulated the study of the flora and fauna of Colombia, and realized his aspirations in the famous Botanical Expedition.

The most important political event in this period was the Revolution of the Comuneros. Discontented because of the excessive taxes levied by the Visitador Gutiérrez de Piñeres, in order to maintain the Armada of Barlovento, the residents of Socorro and towns in the northeastern part of the country revolted early in 1781, and marched on Santa Fe to impose their conditions. In order to avoid the fall of the city into the hands of the revolutionaries, the notables of the capital sent to intercept them a commission headed by the Archbishop-Viceroy Caballero y Góngora. The agreements which gave the movement victory, and which the Spanish authorities later disowned once the comuneros had returned to their homes, were solemnly signed in Zipaquirá. In the face of the attitude of the authorities, a small part of the populace rebelled under the command of José Antonio Galán. Due to a policy of terror, and the superior military resources of the government, this outstanding leader was defeated and tried together with his best lieutenants.

Also, at the end of this period began the movement which was the forerunner of the revolution for independence, with the following causes:

Causas Externas: Independencia de los Estados Unidos de América

La injusticia en la representación y el exceso en los impuestos que provocaron la Independencia de las Colonias Inglesas de América del Norte, fueron también motivos influyentes en la emancipación de las Colonias Españolas de América. Además, el ejemplo histórico avivó en los neogranadinos sus ansias de autonomía política.

Revolución Francesa

Los acontecimientos de esta revolución y especialmente la literatura filosófica que la fomentó, tuvieron decisiva influencia en la independencia colombiana. Las obras de los enciclopedistas fueron conocidas clandestinamente por los intelectuales nacionales y a costa del cautiverio, Antonio Nariño editó la "Declaración de los Derechos del Hombre y del Ciudadano".

Invasión Napoleónica a España

La pérdida de la soberanía española y singularmente la prisión de sus monarcas en disputa, originó una larga serie de conflictos jurídicos y políticos que hizo posible la formación de juntas de gobierno en las provincias americanas, en desacuerdo con la Suprema Junta Central de España. Por otra parte, los neogranadinos aprovecharon la oportunidad de emancipación que les ofrecía la metrópoli embargada por completo en su lucha contra el invasor francés.

Causas Internas: La Expedición Botánica

Bajo la inspiración de José Celestino Mutis, una ilustre generación

External Causes: Independence of the United States.

The lack of representation and the high taxes which provoked the revolt of the English Colonies of North America, were also powerful motives for the revolt of the Spanish Colonies in America.

Besides, this historical example brought to life in the people of Nueva Granada their desire for political autonomy.

The French Revolution

The political events of this revolution, and especially the philosophical literature which fomented it, had a decisive influence on Colombian independence. The works of the Encyclopedists were secretly known to the intellectuals of the nation, and at the cost of imprisonment Antonio Nariño edited the Declaration of the Rights of Man and of the Citizen.

The Napoleonic Invasion of Spain

The temporary overthrow of Spanish sovereignty, and especially the imprisonment of the disputed monarchs, started a long series of legal and political disputes which made possible the formation of governing "juntas" in the American provinces not in accord with the Supreme Central Junta of Spain. Furthermore, the people of Nueva Granada took advantage of the opportunity for emancipation offered them by the fact that the mother country was completely blockaded during the struggle with the French.

Internal Causes: The Botanical Expedition

Under the inspiration of José Celestino Mutis an illustrious genera-

de científicos se dedicó con pasión a estudiar la naturaleza colombiana. El estudio despertó el amor por la tierra nacional y este amor de inteligencia provocó el anhelo de hacer definitivamente propio el territorio de la patria. Los científicos de la Expedición Botánica se convirtieron en héroes y mártires de la guerra de independencia.

Los sistemas tributarios

La carga de los impuestos produjo la reacción del pueblo. La Revolución de los Comuneros tuvo su origen en la inconformidad con los sistemas tributarios, y a pesar de que el justo movimiento terminó con la ejecución de Galán y sus compañeros, el recuerdo de los sacrificados fue un permanente estímulo revolucionario, y la rebelión contra los impuestos excesivos continuó calladamente en el ánimo popular.

Labor apostólica de Nariño

Nariño, hijo intelectual de la Revolución Francesa, no obstante los cautiverios y persecuciones de que fue objeto con motivo de la edición de los "Derechos del Hombre", se dedicó a explicar, aún en los más apartados lugares y en los momentos de mayor peligro, los nuevos principios de libertad política y dignidad humana. Fugitivo, el Precursor aprovechaba la hospitalidad que le brindaban sencillas gentes de provincia y humildes curas de aldea, para ganarlos a la causa de la libertad.

Rivalidad entre criollos y españoles

Los españoles o chapetones, procedían en el Nuevo Reino con ánimo de conquistadores; los neogranadi-

tion of scientist dedicated themselves to studying the flora and fauna of Colombia. These studies awakened love for their country, and the intellectual love made them want to make the country really their own. The naturalists of the Botanical Expeditions became heroes and martyrs of the war for independence.

The System of Taxation

The weight of taxes produced a reaction among the people. The Revolution of the Comuneros had its origin in discontent with the system of taxation, and in spite of the fact that this movement ended in the execution of Galán and his companions, the memory of the fallen was a permanent revolutionary stimulus, and rebellion against high taxes continued quietly in the popular spirit.

Missionary Work by Nariño

Nariño, intellectual child of the French Revolution, in spite of the imprisonment and persecution to which he was subjected as a result of having edited *The Rights of Man,* dedicated himself to explaining, even in the remotest places and in moments of great danger, the new principles of political freedom and human dignity. As a fugitive, the Precursor took advantage of the hospitality offered him by simple country people and humble village priests to convert them to the cause of liberty.

Rivalry Between Creoles and Spaniards

The Spaniards, or "Chapetones", behaved themselves in the New Kingdom of Nueva Granada as conquerors; the Creoles claimed the right to

nos o criollos reclamaban para sí la dirección del país. La rivalidad entre los dos grupos se manifestó en agrios incidentes de la vida cotidiana y finalmente en la disputa entre Llorente y los hermanos Morales que originó el movimiento cívico del 20 de julio de 1810.

El Colegio del Rosario

A pesar de los requisitos de orden aristocrático que se exigían para ingresar al Colegio Mayor de Nuestra Señora del Rosario, el instituto tuvo desde sus comienzos una organización republicana, ordenada por el libro de "Las Constituciones" que escribió Fray Cristóbal de Torres, el fundador. En esta tácita escuela de democracia, se educaron muchos de los próceres que en el foro, en la cátedra o en el campo de batalla, decidieron la independencia de la patria.

La generación de Independencia

En los momentos en que la Madre Patria sufría una grave crisis política, originada por el debilitamiento de su espíritu nacional, el Nuevo Reino acrecentaba sus valores morales y culturales y veía surgir una pléyade de jóvenes idealistas que comprendieron como deberes irrevocables de generación dar a la patria condición soberana y hacer suyas las oportunidades de grandeza que la nueva época universal les ofrecía. Este hecho permite entender el fenómeno de la extraordinaria juventud de los próceres y casos de superación espiritual tan admirables como los de Francisco Antonio Zea, expositor del método inductivo en la ciencia y vocero de la constitución de la Gran Colombia; Francisco José de Caldas, iniciador de los estudios del hombre

run the country. The rivalry between the two groups manifested itself in bitter incidents in daily life, and finally in the dispute between Llorente and the Morales brothers, which started the popular uprising on July 20, 1810.

The Colegio del Rosario

In spite of the requirements of aristocratic standing which were necessary to enter the Colegio Mayor de Nuestra Señora del Rosario, the Institute had a republican organization from its beginning, set down in the book "Las Constituciones" written by the founder, Fray Cristóbal de Torres. In this democratic school many were educated who later decided the battle for independence of the country in the courts, the schools, or on the battlefield.

The Source of the Independence Movement

At the time that the mother country was suffering a grave political crisis caused by a weakening of her national spirit, the New Kingdom was growing in moral and cultural values and saw the rise of a group of young idealists who understood their duty to give to this country its sovereignty and to make the opportunities offered by the new era their own. This fact makes understandable the extraordinary youth and the spirit of the leaders, such as Francisco Antonio Zea, exponent of the inductive method in science and author of the Constitution of Gran Colombia; Francisco José de Caldas, who initiated the study of the Colombian man in relation to his environment, founder of munitions factories, and national hero and martyr; and

colombiano en relación con su medio, fundador de fábricas de municiones y mártir de la patria, y Liborio Mejía, impetuoso coronel de caballería, rector de universidad y Presidente de la República en plena juventud.

El avance cultural

La obra de los colegios, el fomento del periodismo, la fundación de bibliotecas y el progreso de las ciencias y las artes, crearon una clara atmósfera intelectual a favor de la cual prosperaron las ideas de emancipación.

Hechos significativos del avance cultural son el "Plan de Estudios" elaborado por el Fiscal de la Audiencia Francisco Antonio Moreno y Escandón y las tertulias literarias que a principios del siglo XIX se establecieron en Santa Fé. El plan expresó avanzadas ideas en relación con las necesidades educativas del Nuevo Reino y las tertulias fueron centros de promisoria agitación ideológica.

Independencia

Comprende esta época tres períodos: lucha entre federalistas y centralistas, de 1810 a 1815; reconquista, de 1815 a 1819, y liberación, 1819.

Federalistas y Centralistas

El 20 de julio de 1810, se produjo en Santa Fé un movimiento popular con ocasión de una reyerta entre el comerciante español González Llorente y los hermanos Morales, que tuvo su comienzo en las expresiones injuriosas que el peninsular pronunció contra los criollos. Este día se proclamó la independencia del

Liborio Mejía, impetuous colonel of the cavalry, university president, and President of the Republic while in his twenties.

The Cultural Advances

The work of the schools, the fostering of journalism, the founding of libraries, and progress in the arts and sciences, created an intellectual atmosphere in which the idea of independence flourished. Landmarks of the advance of culture are the plan of study elaborated by the Fiscal de la Audiencia Francisco Antonio Moreno y Escandón, and the literary circles which were established in the early 19th century in Santa Fé. The plan expressed advanced ideas on the educational needs of the New Kingdom, the circles were centers of early ideological trends.

Independence

This era consists of three periods: the struggle between Federalists and Centralists, 1810 to 1815; reconquest from 1815 to 1819; and liberation in 1819.

Federalists and Centralists

A popular uprising took place in Santa Fé on July 20, 1810, as a result of a dispute between the Spanish merchant Llorente and the Morales brothers, which began because of some insulting remarks by the Spaniard about the Creoles. On this day the independence of the State of Cundinamarca was proclaimed, and its government was placed in the hands of a junta of patriots. The other provinces of the country took the same course, and within a short time the political grouping called the

Estado de Cundinamarca y se colocó su gobierno bajo la responsabidad de una junta de patriotas. Las provincias restantes del país tomaron idéntica actitud y en poco tiempo se formó el conjunto político denominado Provincias Unidas de la Nueva Granada. En un principio los neogranadinos reconocieron la soberanía del rey. La independencia absoluta fue proclamada por los cartageneros el 11 de noviembre de 1811.

La relativa facilidad con que los próceres lograron la independencia y la inexperiencia de los nuevos gobernantes, ocasionaron numerosas controversias sobre la organización del naciente estado. Federalistas y centralistas defendieron ardientemente sus teorías y terminaron por lanzarse a la guerra fratricida, descuidando la unidad de defensa ante el peligro común. Antonio Nariño logró imponer el centralismo en Cundinamarca, pero debido a su infortunada campaña del Sur, al final de la cual cayó prisionero, volvieron a renacer las antiguas diferencias. Fue Bolívar quien como representante del congreso impuso el régimen federal a Santa Fé, núcleo representativo del centralismo. Durante este período hubo lucha permanente con los españoles, pero no en la forma inclemente y sanguinaria de Venezuela. En 1812 apareció Bolívar en el escenario colombiano con el fin de solicitar ayuda para intentar de nuevo la liberación de Venezuela. El congreso de la Nueva Granada puso a su disposición un ejército que se cubrió de gloria en las acciones de Bárbula y San Mateo, en las cuales perecieron Atanasio Girardot y Antonio Ricaurte, flor de la juventud neogranadina.

United Provinces of Nueva Granada was formed. At the beginning Nueva Granada recognized the sovereignty of the king. Absolute independence was proclaimed by the Cartagenans on November 11, 1811.

The relative ease with which its leaders won independence, and the inexperience of the new rulers, caused numerous disagreements about the organization of the new state. Federalists and Centralists each defended their theories fiercely, and wound up in civil war, neglecting to unite to defend the country against the common danger. Antonio Nariño was able to impose Centralism in Santa Fé, but due to his ill-fated campaign in the south, in which he was captured, the old differences again raised their heads. It was Bolívar, who as representative to Congress put Santa Fé, nucleus of Centralism, under Federalist rule. During this period there was a permanent struggle going on with Spain, but not of the bloody kind that took place in Venezuela. Bolívar appeared on the scene in Colombia in 1812, seeking aid for the recovery of Venezuela. The Congress of Nueva Granada put at his disposal an army which covered itself with glory in the battles of Bárbula and San Mateo, in which Atanasio Girardot and Antonio Ricaurte died.

Reconquest

This period includes the military campaign of Pablo Morillo, who was sent from Spain with a formidable army to recover the territories of Nueva Granada. Morillo beseiged Cartagena, which in accord with its heroic tradition resisted for several months, until, reduced by hunger

Reconquista

Este período comprende la campaña militar de Pablo Morillo, enviado desde España con un formidable ejército con el fin de recuperar los territorios de Nueva Granada y Venezuela. Morillo puso sitio a Cartagena, que de acuerdo con su tradición heroica resistió durante varios meses, hasta que, aniquilada por el hambre y las enfermedades, tuvo que capitular (6 de diciembre de 1815). La caída de esta plaza fuerte y el desconcierto y desorganización de los republicanos, facilitaron en poco tiempo la dominación del territorio nacional. Las aguerridas columnas españolas penetraron hasta el corazón del país y cercaron los pequeños ejércitos de la resistencia. Una vez en posesión del territorio, los realitas establecieron el régimen del terror, con implacables tribunales que sentenciaron a confiscación de bienes y a pérdida de la vida, a un gran número de patriotas. Entre los sacrificados en estos aciagos días figuran Camilo Torres, Francisco José de Caldas, Jorge Tadeo Lozano, Antonio Villavicencio, José María Cabal, Francisco Antonio Ulloa, Joaquín Camacho, Antonio Baraya, Custodio García Rovira, Liborio Mejía y la altiva heroína popular de Colombia, Policarpa Salavarrieta.

Liberación

El año 1819 es de una extraordinaria importancia para la historia colombiana. Bolívar, que había regresado de Jamaica a Venezuela para reanudar la lucha, decidió en sus cuarteles de la llanura ejecutar una sorpresiva campaña para libertar la Nueva Granada. Para este empeño

and sickness, it had to capitulate on December 6, 1815. The fall of this stronghold, and the confusion and disorganization of the republicans, facilitated the quick domination of Nueva Granada; the Spanish columns penetrated to the heart of the country and surrounded the little armies of the resistance. Once in possession, the royalists established a reign of terror, with harsh tribunals that sentenced a great number of patriots to death and confiscated their belongings. Among the fallen were Camilo Torres, Francisco José de Caldas, Jorge Tadeo Lozano, Antonio Villavicencio, José María Cabal, Francisco Antonio Ulloa, Joaquín Camacho, Antonio Baraya, Custodio García Rovira, Liborio Mejía, and the great popular heroine of Colombia, Policarpa Salavarrieta.

Liberation

The year 1819 is of extraordinary importance in the history of Colombia. Bolívar, who had returned to Venezuela from Jamaica to take up the fight again, decided from his camps in the plains to start a surprise campaign to free Nueva Granada. For this project he counted on the fact that General Francisco de Paula Santander had marched into the province of Casanare in 1816 in order to organize there an army of liberation to free his country. With their chiefs working together, the two little armies crossed the Andes and appeared in Boyacá where, with great strategic ability and surprise tactics, they defeated the brilliant army of General Barreiro in the Homeric struggle of the Pantano de Vargas,

contó con la circunstancia de que el general Francisco de Paula Santander se encontraba desde 1816 en la provincia de Casanare empeñado en organizar un ejército libertador. Armonizados los planes de los dos jefes, sus huestes pasaron los gélidos Andes y aparecieron en las regiones de Boyacá donde, con gran habilidad estratégica y sorprendentes recursos tácticos, derrotaron el brillante ejército del coronel Barreiro en el combate del Pantano de Vargas (25 de julio de 1819) y en la Batalla del Puente de Boyacá, (7 de agosto de 1819), la cual determinó la independencia de la Nueva Granada, y dio base para iniciar la liberación de Venezuela, Ecuador y Perú.

República

La época republicana se divide en cinco períodos: Gran Colombia, de 1819 a 1830, República de Nueva Granada, de 1830 a 1858; confederación Granadina, de 1858 a 1863; Estados Unidos de Colombia, de 1863 a 1886, y República de Colombia de 1886 hasta nuestros días.

Gran Colombia

En este decisivo período de la historia nacional acontecieron los siguientes hechos:

1º—Constitución de la Gran Colombia

De acuerdo con el ideal bolivariano, el Congreso de Angostura proclamó en 1819 la fusión, en un solo conjunto soberano, de los territorios y pueblos de Nueva Granada, Ecuador y Venezuela, regido por el sistema centralista y con sede de gobierno en Bogotá. En 1821 se expidió la constitución de Cúcuta, que

and in the battle of Puente de Boyacá on August 7, 1819, which decided the independence of Nueva Granada, and laid the foundation for the campaigns to liberate Venezuela, Ecuador and Perú.

The Republic

The republican era is divided into five periods: Greater Colombia, from 1819 to 1830; the Republic of New Granada, from 1830 to 1858; the Granadian Confederation, from 1858 to 1863; the United States of Colombia, from 1863 to 1886; and the Repubic of Colombia, from 1886 to the present day.

Gran Colombia

In this decisive period of Colombia's history the following events took place.

1) *Constitution of Greater Colombia.*

In accordance with Bolívar's ideals, the Congress of Angostura proclaimed in 1819 the fusion, into one sovereign state, of the territories and populations of New Granada, Ecuador and Venezuela, with a centralist system of government whose seat was in Bogotá. In 1821 the Constitution of Cúcuta was published, which marked a definite advance in Colombian civil law. In it was made the definite commitment to democratic rule, with limitation of powers, adequate separation of the judiciary and political administration, and incorporation of individual rights and guarantees, and in general of those essential principles which have remained unaltered throughout subsequent constitutions.

marcó un avance decisivo del derecho público colombiano. En ella se hizo la consagración definitiva del régimen democrático, con delimitación de los poderes, adecuada separación de los derechos y garantías individuales, y en general de aquellos principios esenciales que a través de las constituciones posteriores permanecieron inalterables.

2º—Liberación de las naciones bolivarianas

Con base en la victoria de Boyacá se efectúo la completa liberación del territorio de la Nueva Granada, y con el concurso decisivo de los ejércitos colombianos, bajo la suprema dirección de Bolívar, culminó la emancipación de Venezuela con la batalla de Carabobo (24 de julio de 1821); la de Ecuador con la batalla de Pichincha (24 de mayo de 1822), y la del Perú con las batallas de Junín (6 de agosto de 1824) y Ayacucho (9 de diciembre de 1824). En la campaña libertadora de Ecuador y Perú reveló su extraordinario talento militar y político el Mariscal Antonio José de Sucre. En Ayacucho, que selló definitivamente la independencia sudamericana, alcanzó la inmortalidad el general colombiano de 25 años José María Córdoba con su célebre carga de "Paso de vencedores", que decidió prácticamente la acción.

3º—Establecimiento de relaciones diplomáticas

Los Estados Unidos de América fueron los primeros en reconocer la independencia de Colombia; posteriormente la Santa Sede, Inglaterra y otras naciones establecieron relaciones con el nuevo Estado. Entre los

2) *The 2nd. Liberation.*

With the victory of Boyacá the complete liberation of the territory of New Granada was effected, and Colombian armies under the command of Bolívar freed Venezuela, in the battle of Carabobo (July 24, 1821); Ecuador, in the battle of Pichincha (May 24, 1822) and Perú, in the battles of Junín (August 6, 1824) and Ayacucho (Dec. 9, 1824). In the Ecuatorian and Peruvian campaigns Antonio José de Sucre revealed his extraordinary military and political talent. At Ayacucho, which set the seal on South American independence, Colombia's 25 -year- old general José María Córdoba, achieved immortaly.

3) *Establishment of Diplomatic Relations.*

The United States of America was the first country to recognize Colombia's independence; later the Holy See, England, and other nations established relations with the new country. Among the first Colombian diplomats were Francisco Antonio Zea, Manuel José Hurtado, Joaquín Mosquera, José Fernández Madrid, and Manuel Torres, this last a friend of Monroe who proclamed the slogan, "America for Americans".

4) *The Beginning of Pan-Americanism.*

Bolívar, father of Pan-Americanism and precursor of the society of nations, expressed in his letter from Jamaica his belief in the necessity for the American states to get together in an assembly in order to agree on how to maintain their solidarity and promote their common

primeros diplomáticos colombianos figuran Francisco Antonio Zea, Manuel José Hurtado, Joaquín Mosquera, José Fernández Madrid y Manuel Torres, el último amigo de Monroe y a quien se atribuye la inspiración de la fórmula "América para los americanos".

4º—Principio del interamericanismo

Bolívar, padre del interamericanismo y precursor de la Sociedad de las Naciones, expresó en su Carta de Jamaica la necesidad de que los Estados Americanos se congregaran en Asamblea, para acordar la forma de su solidaridad y el encauzamiento de sus comunes ideales. En 1826 se reunió en Panamá la primera conferencia del Continente, convocada por el Libertador.

5º—Organización administrativa de Colombia

El General Francisco de Paula Santander en su calidad de Vice-Presidente de la Gran Colombia, estableció las bases de la organización administrativa de la nación, porque dio firmes fundamentos a la hacienda pública, recolectó los recursos para sostener las campañas libertadoras y orientó vigorosamente la educación pública.

6º—Disolución de la Gran Colombia

El General José Antonio Páez, héroe de la Independencia, se sublevó en Venezuela contra el gobierno de Bogotá y provocó así el principio de la disolución de la Gran Colombia. Bolívar regresó del Perú para encargarse del poder y asumir posteriormente la dictadura, con el propósito de conjurar males colectivos. El 25 de septiembre de 1828, exaltados ci-

causes. The continent's first conference met in Panamá in 1826, called together by the Liberator.

5) *Bases for the Administration*

General Francisco de Paula Santander as Vice-President of Greater Colombia established the bases for the administration of the country. He put the Treasury on a firm footing, collected the supplies for the campaigns of liberation, and gave vigorous direction to public education.

6) *The Dissolution of Greater Colombia.*

General José Antonio Páez, hero of the struggle for independence, led an uprising in Venezuela against the government in Bogotá, and thus began the dissolution of Greater Colombia. Bolívar returned from Perú to take power, and later became dictator, with the intention of solving collective grievances. On Sept. 25, 1828 a number of highly placed civil leaders led an attempt on Bolívar's life. The dissolution of Greater Colombia culminated in 1830 with its disintegration into three countries: New Granada, Venezuela, and Ecuador.

In this period many of the leaders of the independence died: Nariño in 1823, Córdoba in 1829, Sucre in 1830, and Bolívar on Dec. 17, 1830.

New Granada

New Granada established its political jurisdiction and its international responsibility. General Santander as chief of state imposed his political and administrative ideas. In this period the traditional political parties emerged clearly, Conservatives

vilistas atentaron contra la vida del Libertador. La disolución de la Gran Colombia culminó en 1830 con su desintegración en tres Estados: Nueva Granada, Venezuela y Ecuador.

En este período murieron Nariño (1823), Córdoba (1829), Sucre (1830) y Bolívar (17 de diciembre de 1830).

La Nueva Granada

La Nueva Granada delimitó su jurisdicción política y su responsabilidad internacional. El General Santander en su calidad de Jefe del Estado impuso sus ideales políticos y administrativos. En este período aparecieron bien definidos los partidos políticos tradicionales, conservador y liberal y la penetración de las doctrinas de Bentham provocó encendidas polémicas filosóficas. Suceso político de extraordinaria significación fue la proclamación de la libertad absoluta de los esclavos y empresa científica de magno alcance la Expedición Corográfica, que enriqueció considerablemente los estudios geográficos de Colombia.

El progreso se manifestó principalmente con la apertura de vías de comunicación y el fomento de la economía rural. Los hechos históricos más destacados de la Nueva Granada fueron la guerra de 1840 provocada por la insurrección del General José María Obando en el sur del país y la dictadura del General José María Melo en 1854, que tuvo duración efímera debido a que los colombianos de todos los matices se levantaron para combatirla.

Confederación Granadina

Con motivo de la Constitución de 1857 el país tomó una forma de gobierno semifederal y con las eleccio-

and Liberals, and the propagation of the theories of Bentham provoked heated philosophical debates. A political event of major significance was the emancipation of the slaves, and the scientific endeavor of greatest importance was the Expedición Corográfica which considerably enriched the study of Colombian geography. Progress was manifested chiefly in the opening of communication routes, and development of the rural economy. The main historical events were the war of 1840, caused by the insurrection led by General José María Obando in the southern part of the country; and the dictatorship of General José María Melo in 1854, which was short-lived because Colombians of all classes rose up against it.

The Granadian Confederation

With the Constitution of 1857 the country adopted a semifederal form of government, and the elections that same year brought to power the Conservative leader, Mariano Ospina Rodríguez. General Tomás Cipriano de Mosquera, who had already been president of the Republic, took arms againts the government, starting a long war which culminated in the only succesful revolution in the history of Colombia. General Mosquera declared himself dictator, and under pressure from civilian leaders, called the Convention of Rionegro, which produced the Constitution of 1863.

The United States of Colombia

The United States of Colombia came about as a result of the Constitution of 1863, the principles of liberalism, and the federalist postu-

nes del mismo año llegó al poder el Jefe conservador Mariano Ospina Rodríguez. El General Tomás Cipriano de Mosquera, Ex-Presidente de la República, se alzó en armas contra el gobierno legítimo, originando una larga guerra que culminó con el triunfo de la única revolución que ha salido victoriosa a lo largo de la historia de Colombia. El General Mosquera se declaró dictador y debido a la presión de los elementos civilistas convocó la Convención de Rionegro que expidió la Constitución de 1863.

Estados Unidos de Colombia

Los Estados Unidos de Colombia nacieron como consecuencia de la Constitución de 1863, informada por los principios del liberalismo y por los postulados federalistas del gobierno. Durante este lapso gobernaron los jefes liberales en períodos de dos años. Los hechos históricos más sobresalientes son la conspiración contra el General Mosquera y su acusación ante el Senado, la guerra de 1876 que terminó con el triunfo del gobierno y la guerra de 1885, cuya última batalla dio base al Presidente Rafael Núñez para declarar extinguida la Carta Fundamental imperante.

En lo económico tiene mucha importancia la intensificación del cultivo del café, la construcción de los primeros ferrocarriles y la reorganización del crédito público. El movimiento político más destacado es el conocido con el nombre de Regeneración —inspirado en las ideas de orden y unidad colombiana del Presidente Núñez—, que culminó con la Constitución de 1886.

late of the government. During this period Liberal leaders ruled with presidential terms of two years. The main historical events were: the conspiracy against General Mosquera and his accusation before the Senate; the war of 1876 which ended with the triumph of the government; and the war of 1885, the last battle of which gave President Rafael Núñez the opportunity of declaring no longer valid the Carta Fundamental.

In the economy of the country, the intensification of coffee growing was very important, as were the construction of the first railroads, and the reoganization of public credit. The chief political movement was the one known as the Regeneration — based on the ideals of order and Colombian unity of President Núñez — which produced the Constitution of 1886.

The Republic of Colombia

The legal basis of this period is the Constitution of 1886, which in essence establishes five fundamental principles: reinstitution of the unified Republic, a fully democratic regime, application of the formula, "Political centralization and administrative decentralization", harmony between Church and State, and Presidential rule.

This Constitution is still in force, with considerable amendments made in 1910, 1936 and 1945. The main reforms are the incorporation of fundamental rights of the worker in the Carta Magna, and the declaration that property presupposes a social function.

The Conservative Party kept the direction of the country from 1886 until 1930, when the Liberals came

República de Colombia

La base jurídica de este período y la razón de ser de sus hechos creadores es la Constitución de 1886 que tiene cinco principios esenciales: reconstitución de la República en la forma unitaria y plena vigencia del sistema democrático; aplicación de la fórmula "centralización política y descentralización administrativa"; armonía entre la Iglesia y el Estado y régimen presidencial.

Esta Constitución es la que actualmente rige, con enmiendas apreciables efectuadas en 1910, 1936 y 1945. Las reformas más notables se refieren a la incorporación del fuero tutelar del trabajador en la Carta Magna y la declaración de que la propiedad supone una función social.

El partido conservador mantuvo la dirección de los destinos nacionales desde 1886 hasta 1930, año en que el liberalismo llegó al poder con Enrique Olaya Herrera. En 1945 fue elegido el candidato conservador Mariano Ospina Pérez y el 13 de junio de 1953 la tradicional línea civil del Gobierno fue interrumpida con la llegada al poder del General Gustavo Rojas Pinilla. El 10 de mayo de 1957 el General Rojas abandonó la jefatura de la administración y la puso en manos de una Junta Militar que convocó un plebiscito reformatorio de la Constitución Nacional que modificó la estructura jurídica del Estado colombiano, por medio de la institucionalización del Frente Nacional, por un término de dieciseis años y con ella la alternación en el poder de los partidos políticos tradicionales, el conservador y el liberal, dentro de un sistema de paridad en el Congreso y en los puestos del Gabinete Ejecu-

to power with Enrique Olaya Herrera. In 1945 the Conservative party came back to power with Mariano Ospina Pérez and on June 13, 1953 the continuity of the tradition of political directors was interrupted by General Gustavo Rojas Pinilla, who assumed power in the name of the Armed Forces. In view of the strong opposition to his government, General Rojas on May 10, 1957, left power in the hands of a Military Junta, who held a plebiscite reformatory of the National Constitution to decide with regard to the amendment of the juridical structure of the so-called national agreement through which during a term of 16 years the political parties would alternate in power and a system of parity in the Legislative Chamber and in the Ministers' appointments would be considered an adequate expression of a spirit of mutual equity and a recess for the restoration of the political spirit maltreated in the struggles of previous years.

The first President of the National Front, a representative of the Liberal party, was Alberto Lleras, who had been apointed as Acting President in 1945. As second President of the system was elected Guillermo León Valencia, a Conservative.

The most outstanding historical facts of this period are: *the war of 1889,* known as the "Thousand-Days War", which ended with the victory of the Government forces in the battle of Palonegro; *the separation of Panamá,* caused by the refusal by the Senate of the Republic to accept the terms of Treaty with the United States by which a special regime was created for the construction and control of the inter-ocean Canal, an in-

tivo. A nombre del partido liberal, el primer Presidente del Frente Nacional fue Alberto Lleras Camargo, quien en 1945 había ejercido el poder en calidad de Designado. Como segundo Presidente del sistema fue elegido en 1962 Guillermo León Valencia, a nombre del partido conservador.

Los hechos más destacados de este último lapso del período republicano son los siguientes: *La guerra de los Mil Días* que estalló en 1899 y terminó con la victoria del Gobierno en la batalla de Palonegro; *la separación de Panamá,* en 1903, causada por el rechazo que el Senado de la República dio a los términos del Tratado con los Estados Unidos para la construcción y control de un canal interoceánico, episodio que constituye la más seria vicisitud nacional e internacional sufrida por el país desde los días de la independencia y cuyos deplorables efectos fueron objeto de reparaciones morales y materiales por parte del Gobierno de Washington; *el conflicto con el Perú en 1932,* originado por la ocupación militar de la pequeña ciudad colombiana de Leticia sobre el río Amazonas y solucionado por el Protocolo de Río de Janeiro; *el movimiento revolucionario del 9 de abril de 1948,* iniciado con el catastrófico y misterioso asesinato del jefe del partido liberal Jorge Eliécer Gaitán, que desencadenó la furia popular y dio lugar a la destrucción de gran número de monumentos históricos, de oficinas gubernamentales y de institutos educativos, además de haber amenazado seriamente la estabilidad del Gobierno constitucional y colocado en un grave peligro la constitución de la Organización de Estados Americanos, pues en aquellos días la Novena Conferencia In-

ternational incident which constitutes the most serious vicissitude suffered by the Nation since Independence and whose deplorable effects were repaired by the Government of the United States; *the conflict with Perú in 1932,* originated by the military occupation of the Colombian city of Leticia on the Amazon River which, after seriously threatening the peace of the southern hemisphere, was resolved through arbitration in Río de Janeiro; *the revolutionary flash of the 9th. of April, 1948,* initiated by the mysterious and catastrophic assassination of the Liberal leader Jorge Eliécer Gaitán, with the unchaining of fury among the people and the destruction of a great number of historical monuments as well as official and educational institutions, besides seriously threatening the stability of the constitutional government and placing in danger the declaration of the Organization of American States, as in those days the Ninth American International Conference had met in Bogotá, in view of which it is considered that international forces took part in the initiation and development of these abominable actions; the violence developed in a great number of rural sections of the country, as a result of the seditious spirit of the 9th of April which slowly lost its political character to become simple delinquency; *the participation of the Military Forces of Colombia in the Korean campaign,* to comply with engagements acquired on the occasion of the adherence to the United Nations Charter; and the *visit of the President of the United States, John F. Kennedy, to Bogotá in 1962,* during which and on a

teramericana se encontraba reunida en Bogotá, todo lo cual hace pensar que fuerzas internacionales tomaron parte en la iniciación y desarrollo de estos abominables actos; *el estallido de la violencia* en gran número de secciones rurales del país y en algunas ciudades, como resultado del espíritu sedicioso del 9 de abril, que unas veces con naturaleza política y otras con la de simple delincuencia, ha enervado el ordenado proceso del desarrollo nacional; *la participación de las fuerzas militares de Colombia en la campaña de Corea,* para cumplir con los compromisos adquiridos al suscribir la Carta de las Naciones Unidas y *la visita del Presidente de los Estados Unidos John F. Kennedy a Bogotá en 1961,* durante la cual y en una solemne recepción en el Palacio de San Carlos, manifestó el deseo del pueblo y del Gobierno de los Estados Unidos de respaldar decididamente un alto plan de cooperación interamericana conocido como "Alianza para el Progreso".

Los avances administrativos y económicos más importantes de la Nación colombiana en este último período republicano, son el arreglo definitivo de los litigios de límites; la creación de un plan orgánico de la economía nacional con ocho renglones básicos: café, oro, petróleo, sal, trigo, algodón, ganadería y textiles; el establecimiento de una excelente red de ferrocarriles, carreteras y rutas aéreas que han unificado el territorio nacional y vinculado sus diversas regiones; el fomento urbanístico que ha hecho de Colombia un país de ciudades armónicamente distribuídas; la fundación de numerosas instituciones de crédito, de estímulo industrial y asistencia colectiva, como

solemn occasion at the San Carlos Palace, the will of the Government and of the people of the United States to support the vast plan of the interamerican cooperative action known as "Alliance for Progress" was expressed.

The most important aspects of economic and administrative progress attained by the Nation in this period are as follows: The creation of an organic plan of national economy with eight basic products: coffee, gold, oil, salt, wheat, cotton, cattle and textiles; and the establishment of an excellent network of railroads, highways and air routes which have united the difficult national terrain.

Urban development which has made of Colombia a country of well-distributed cities. The increase of public education at all levels and the creation of important institutions to maintain the tradition of the Country. The adoption of a planning mentality. The founding of numerous credit institutions, industrial encouragement and general assistance through the National Federation of Coffee Growers, the Agrarian Credit Bank, Industry and Mining, the Social Security Institute, etc. The efforts to structure the social and economic organization of the country with adequate legislation such as the tax laws of President Alfonso López and the establishment of institutes such as that of the Agrarian Reform. The final settlement of boundary disputes.

Private initiative has been a strong factor in the vigorous social, cultural and economic development of Colombia during the past 70 years; it has built the most self-sustaining industry of Latin Ameri-

la Federación Nacional de Cafeteros, la Caja de Crédito Agrario, Industrial y Minero, el Instituto de Seguros Sociales, la Empresa Siderúrgica de Paz de Río; los esfuerzos de carácter estructural dentro de la organización social y económica del país, con una adecuada legislación, al estilo de la tributaria iniciada por el Presidente Alfonso López y la encaminada a conciliar los dictados de la equidad y los factores de la producción en el medio agrario; la adopción de una mentalidad previsiva y planificadora; el incremento de la educación pública en todos sus grados; la creación de importantes institutos destinados a mantener invicta la tradición cultural de Colombia.

La iniciativa privada ha sido definitivo factor en el progreso social y cultural del desarrollo de Colombia durante los pasados setenta años; a ella se debe una de las más autónomas industrias de Latinoamérica, la contribución a la existencia de una altiva y consciente clase laboral y una más avanzada preparación técnica en los órdenes industrial y comercial. Lo mismo se puede decir de la educación, especialmente en los niveles universitarios en los cuales la iniciativa particular ha demostrado un alto grado de eficiencia y un sincero propósito cooperativo.

CONTRIBUCION DE COLOMBIA A LA CULTURA AMERICANA

La contribución de Colombia a la cultura americana pudiera expresarse en los siguientes puntos:

Estudios precolombinos

Los más importantes se refieren al campo arqueológico de San Agustín,

ca, contributing to the formation of a more active labor class, technically prepared. The same can be said for education which, particularly in university levels, demonstrated sincerely and brilliantly the efficiency of its cooperative strength.

COLOMBIA'S CONTRIBUTION TO AMERICAN CULTURE

Colombia's contribution to American culture can be listed under the following headings:

Before Discovery of America:

The most important remains of early culture are found in the archaeological site of San Agustín in the town of the same name, in the Department of Huila, near the source of the River Magdalena. A very ancient civilization has left innumerable statues and stone monuments, witnesses of exceptional artistic progress. This interesting ancient demographic center shows analogies with other remote American civilizations, and has been studied by distinguished anthropologists and world-famous archaeologists. It is thought, with good reason, that the key to some fundamental problems of the life of the original dwellers on the American continent is to be found in the vast sculptural citadel of San Agustín.

Of special interest to the study of civilization surviving at the time of the conquerors in the Gold Museum of the Bank of the Republic in Bogotá. It contains the large and valuable collection of goldsmiths' work done by the Chibchas, Kimbayas and Sinús. These provide the Americanist with an opportunity to analyze the anthropological process among

que tiene su mayor concentración en el pueblo del mismo nombre, situado en el Departamento del Huila y cerca del naciente río Magdalena. Se trata de una antiquísima civilización que en innumerables estatuas y monumentos de piedra acusa objetivamente un singular adelanto artístico. Este sugestivo centro demográfico precolombino que ofrece interesantes analogías con otras remotas civilizaciones de la América, ha sido objeto de intensos estudios en que han tomado parte insignes antropólogos y arqueólogos de prestigio universal, como Paul Rivet. Con gran fundamento se considera que en la vasta ciudad escultórica de San Agustín reside la clave de fundamentales problemas sobre la vida de los primitivos moradores del Continente.

En cuanto al estudio de las civilizaciones vivas en la época de los conquistadores, tiene extraordinaria importancia el Museo del Oro del Banco de la República, organizado en Bogotá, que representa la más valiosa y extensa colección de objetos ejecutados por orfebres chibchas, quimbayas y sinúes, y ofrece a los americanistas la oportunidad de analizar el proceso antropológico de los oborígenes colombianos con base en el significado cultural de los tunjos o figuras humanas, las joyas de la vanidad femenina o de la jerarquía varonil, las armas de la guerra o los utensilios de la vida doméstica, las ánforas de la fiesta o los instrumentos músicos, y otros tesoros reales del Dorado legendario.

Estudios científicos

Están significados eminentemente por la Expedición Botánica y los trabajos de Mutis, Caldas, Lozano, Ma-

the original inhabitants of Colombia and to apreciate the cultural significance of the *tunjos,* or human figures, the jewels to display a woman's vanity or a man's rank, the festive vases, the musical instruments and other royal treasures of the fabled El Dorado.

Scientific Studies:

The works of Mutis, Caldas, Lozano, Matiz and Ulloa, and the famous Botanical Expedition are pre-eminent among Colombian scientific studies. Don José Celestino Mutis initiated the Botanical Expedition in the last days of the Colony so as to make an inventory of all the flora and fauna of Colombia. It constituted the principal impetus to science in the history of Latin America, and it gave rise to a constellation of savants lovingly dedicated to the study of natural phenomena in their native land, men who were later to be converted into the soldiers and martyrs of national liberty.

Such fundamental steps as the foundation of the first Chair of Mathematics on the American Continent, the discovery of the cinchona tree, the application of the science of human geography to the New World, the notable discoveries of Caldas, the enormous collections of valuable material for the study of nature in the tropics and the adoption of the experimental method in American science, were all stimulated by the impetus given to science by the Botanical Expedition.

Artistic Contribution:

Gregorio Vásquez Arce y Ceballos, the outstanding Colonial painter of Spanish America, gave its highest

tiz y Ulloa. La Expedición Botánica fue iniciada en las postrimerías de la Colonia por don José Celestino Mutis con el objeto de hacer el inventario de los seres de la naturaleza neogranadina. Esta iniciativa, la más importante en el orden de la ciencia de cuantas se han registrado en la historia de Hispanoamérica, dio origen a una constelación de sabios dedicados a estudiar con amoroso empeño la tierra de la patria, (convertidos más tarde en soldados y mártires de la libertad nacional), y determinó hechos tan fundamentales como la fundación de la primera cátedra de matemáticas del Continente, el hallazgo del árbol de la quina, la aplicación de la ciencia antropogeográfica al medio del nuevo mundo, los notables descubrimientos físicos de Caldas, la recolección del ingente y precioso material para el estudio de la naturaleza del trópico y la adopción del método experimental en el campo de la ciencia americana.

Contribución artística

Tiene su más alta expresión en la obra de Gregorio Vásquez Arce y Ceballos, figura cimera de la pintura colonial de la América Española. Educado en modesto taller y desprovisto de los elementos indicados para ejecutar ambiciosos proyectos, su genio superó deficiencias y dificultades y logró realizar un conjunto pictórico digno de las grandes escuelas del Renacimiento. Egregio pintor de ángeles, sus figuras hagiográficas acusan una singular dulzura poética y un extraordinario vigor estético. Sus cuadros, "Las cuatro estaciones", "San Francisco Javier predicando", "San Cristóbal", "La Inmaculada",

expression to art in Colombia. He was trained in a modest workshop and lacked the elements necessary to execute great projects, but his genius overcame difficulties and drawbacks to produce an artistic whole worthy of the great scools of the Renaissance. He showed great skill in painting angels, and his figures of saints show both poetic grace and aesthetic vigour. "The Four Seasons", "St. Francis Xavier Preaching", "St. Christopher", "The Immaculate Conception", "The Savior of the World", "The Betrothal of St. Catherine", and the "Camp at Madian", affirm his classical balance and artistic idealism. The Museum of Colonial Art in Bogotá contains much of his work, and the churches and chapels of the capital show a great deal more.

Epic Glories:

Cartagena de Indias, a walled city with forts and castles, represents the greatest achievement of Spanish military engineering and bears witness to the grandeur of this type of culture in Spanish America. In the XVIII century the imperialist aims of Great Britain with regard to South America were destroyed before the fortress of San Lázaro, and in 1815 the besieged people of Cartagena at once represented and inflamed the desire of a new race dedicated to liberty. They revealed during the Siege their epic stature in the greatest deed of collective heroism in the history of the Continent.

Religious Culture:

St. Peter Claver, whose life was dedicated to the pious work of mitigating the tragic destiny of the Negro slaves brought in chains

"El Salvador del Mundo", "Los desposorios de Santa Catalina", y "El Campamento de Madián", son afirnación de equilibrio clásico y de idealismo artístico. Muchas de las obras de Vásquez se hallan en el hermoso Museo de Arte Colonial de Bogotá, y en iglesias y capillas de la capital colombiana.

Otros grandes pintores han llevado con decoro el concurso de Colombia a la historia del arte hispanoamericano. Entre ellos puede citarse a Andrés de Santamaría, eximio representante del impresionismo en el Nuevo Mundo y en los modernos días son varios los colombianos que han descollado entre los representantes de las últimas tendencias pictóricas del continente.

La cultura heroica

Está significada por Cartagena de Indias, ciudad amurallada y poblada de fuertes y castillos, que constituyen la máxima realización de la ingeniería militar española en el Nuevo Mundo y atestiguan la grandeza de la cultura heroica de la América Hispana. En el siglo XVIII, frente al fuerte de San Felipe de Barajas se quebraron las pretensiones imperialistas de Inglaterra en Suramérica, y en 1815 la nueva raza, encendida por sus anhelos de libertad y representada por el asediado pueblo de Cartagena, manifestó su contextura épica y creó el más alto hecho de heroísmo colectivo de que haya recuerdo en la historia común del Continente.

La cultura religiosa

Se expresa principalmente en la figura de San Pedro Claver, que dedicó su vida a la piadosa tarea de dulcificar el trágico destino de los es-

to Cartagena and destined to exhausting work in the mines and on the land, is the principal expression of religious culture in Colombia. His desire to make up by virtue and charity for the sorrow and ignominy that commercial interests brought to the country was immense and be became by his work, not only great in Heaven but on earth famous as the greatest of American saints. The famous writer Sor Francisca Josefa del Castillo y Guevara, in nobly mystical works, shows in *Afectos Espirituales* how faith anticipates Paradise and how the great mystical movement of the Spanish Golden Age influenced Colombia letters.

Juridical Works:

Forensic art and juridical culture have their finest expression in the *Memorial de Agravios* written by Don Camilo Torres in the name of the Cabildo de Santa Fé, to protest to the Supreme Central Junta in Spain against the lack of sufficient representation of the American colonies. The Colombian leader here expresses the motives for the revolution in Spanish America, and, for the first time, gives noble expression to the right of the citizens of the New World to a dignified political existence within the community of nations.

Philological Culture:

This is represented by the magnificent work of Don Rufino Cuervo and especially by the *Dictionary of the Structure and Government of the Castilian Language*. Cuervo's work became part of the cultural patrimony of the Continent in the Panamerican Conferences of Havana

clavos negros que llegaban a Cartagena cargados de cadenas para ser sometidos a agotadores trabajos físicos en minas y encomiendas. Su anhelo de compensar con virtud y con ternura el dolor y la ignominia que oscuros factores comerciales suscitaron en la tierra de Colón, le asignaron además de su condición de insigne figura del cielo, la categoría de primer santo de la América. En el campo religioso, y con nobles acentos místicos, surge también la imagen de la ilustre escritora Sor Francisca Josefa del Castillo y Guevara, en cuya delicada sensibilidad la semilla de la fe hizo brotar el jardín de anticipadas circunstancias angélicas que es el libro de los "Afectos espirituales".

Concurso jurídico.

Tiene su más cabal manifestación en el "Memorial de Agravios" que don Camilo Torres redactó a nombre del Cabildo de Santa Fé para protestar por la falta de proporción en la representación de los americanos ante la Suprema Junta Central de la Península. En este alegato el prócer colombiano diò cauce jurídico a los motivos de la revolución de la América Española y proclamó por vez primera, en noble lenguaje forense, los derechos de los ciudadanos del Nuevo Mundo a una decorosa vida política dentro del concierto de las naciones.

La cultura filológica

La obra filológica de Don Rufino Cuervo fue saludada en los más eminentes círculos científicos de Europa con admiración. Sabio disciplinado e idealista, en el "Diccionario de Construcción y Régimen de la Lengua Castellana" dejó un monumento a (1928), Bogotá (1948) and Caracas (1954). It represent the greatest move towards the defense and perfection of the Spanish language of the XIX and XX centuries in the Americas, a work which has since been undertaken principally by Colombian philologist and grammarians.

Literary Culture:

In all the Spanish-American world, Colombia is the country where the lyric muse most completely reigns, as her vast and valuable literary production testifies. Don Marcelino Menéndez Pelayo estated in 1894: "it is not intended to offend anyone when asserting an evident truth such as the Colombian Parnassus excels today in quality, if not in quantity, that of any other region of the New World". The poetic work of Pombo *(Noches de Diciembre, Preludio de Primavera,* etc) and Jorge Isaac's novel (*La María*), are the culminating points of romanticism in the Spanish New World. The poetry of José Asunción Silva, *(Nocturno, Los Maderos de San Juan,* etc), introduces literary modernism, which was continued and diffused extra-nationally by Rubén Darío and Guillermo Valencia. José Eustacio Rivera's novel *La Vorágine* indicated new and suitable directions to be taken by writers genuinely American.

W. O. Gailbraith, former Head of the Latin American Service of de B.B.C., makes the following comment in *A general survey about Colombia:* "Reasons have been adduced for the cultural tradition of the country, and it remains, to analyse at greater length the title of 'the Athens of South America' which is still today applied to its capital, often

su propia vida y una empresa para ser continuada y culminada, dentro de ambicioso programa, por los estudiosos del Instituto Caro y Cuervo de Bogotá. La obra de Cuervo ha sido declarada patrimonio cultural del continente por las conferencias interamericanas de La Habana (1928), Bogotá (1948) y Caracas (1954). Recientemente el Sistema Interamericano ha proclamado el Instituto Caro y Cuervo de Colombia como el centro oficial de filología y estudios literarios en Hipanoamérica.

La cultura literaria

Con base en la opinión de Cassou, Camp, Daireaux y otros modernos críticos, Colombia es quizás el país de cultura lírica más completa del mundo hispanoamericano, en el cual su vasta y valiosa producción literaria ha influído de manera notable. Si en la Colonia los hermosos romances de Hernando Domínguez Camargo representaron un alto signo de la lírica gongorina y en general del influjo de las letras españolas de la Edad de Oro en el Nuevo Mundo, la obra lírica de Pombo ("Noche de diciembre", "Preludio de primavera") y la novelística de Jorge Isaacs ("La María"), marcaron el apogeo del romanticismo en el Nuevo Mundo español. De la misma manera la poesía de José Asunción Silva ("Nocturno", "Los maderos de San Juan", "Vejeces") inició la tendencia modernista en la literatura hispánica, movimiento que fue continuado y difundido en el ámbito universal por Rubén Darío.

Don Marcelino Menéndez Pelayo afirmaba en 1894: "A nadie se hace ofensa con afirmar verdad tan noto-

followed by a recital of the large number of bookshops which that city possesses and the claim that even the bootblacks quote poetry.

Though the Conquest brought with in the tradition of Spanish culture and the products of the Golden Age followed closely after, it left little beyond the works of the Conquistador, Gonzalo Jiménez de Quesada, and of the historian, Juan de Castellanos. The title of Bogotá *The Athens of South America,* though exaggerated, is perhaps justifiable. Relative to the rest of the continent, Colombia has much to be proud of. She has contributed at least two poets of major calibre among those who used Spanish; two philologists who made notable contributions to the methodical study of the language, scientist of note, and at least one novelist whose work in known wherever the Spanish tongue is spoken, besides critics, philosophers, and men of letters who have not only made valuable contributions in their fields, but have kept alive a tradition and an appreciation of things of the mind, instructing and inspiring the younger generation not only in their own contry but in others of their Continent". ". . . in Colombia remains for culture in all its forms, an awareness, a virility of approach and of thought which, coupled with the native intellectual capacity, augur well for the emergence in the future of a more mature culture which will reflect Colombian values in forms of expression already perfected and understood internationally".

Contribution to Freedom:

Colombia, inspired by Bolívar, was not content with her own independence, but offered her victorious arms

ria como que el Parnaso Colombiano supera hoy en calidad, si no en cantidad, al de cualquier otra región del Nuevo Mundo".

Dentro del panorama novelístico de América la obra de José Eustasio Rivera, "La Vorágine", señaló nuevos y adecuados rumbos y constituyó genuina expresión de asuntos cósmicos y humanos hasta entonces no revelados y cultivados literariamente.

Contribución a la cultura política de otras naciones

No contenta con haber adquirido su libertad, Colombia inspirada por Bolívar, decidió prestar el concurso de sus armas victoriosas a otras naciones empeñadas en su emancipación. De esta manera, con el sacrificio de sus soldados y el generoso aporte de la hacienda pública colombiana, los ejércitos de la República organizaron la campaña libertadora de Ecuador, Perú y Bolivia, culminadas con las batallas de Pichincha, Junín y Ayacucho, que sellaron la independencia de los tres pueblos hermanos.

Aportes fundamentales al Sistema Interamericano

En desarrollo de las tesis bolivarianas Colombia ha sostenido con entusiasmo el ideal de la solidaridad continental. Su tradición panamericanista se inicia en el Congreso de Panamá en 1826 y se vigoriza a través de ciento veinte años de labor doctrinaria tendiente a estrechar los vínculos económicos, jurídicos y culturales entre las naciones del Continente y a presentar ante el universo un armonioso grupo de estados pletóricos de dignidad humana y amantes de la paz, de la cultura y del derecho.

to other nations struggling for freedom. By the sacrifice of her soldiers and her generous contribution of funds, the armies of the Republic organized and fought the campaigns to free Ecuador, Perú and Bolivia, their work culminating in the victories of Pichincha, Junín and Ayacucho, which decided the independence of the three sister nations.

Encouragement of Panamericanism and Bolivarian Harmony:

Colombia has enthusiastically sustained the ideal of continental solidarity, developing the ideas of Bolívar. Her Panamerican tradition begins with the Congress of Panamá in 1826 and goes on from strength to strength through a hundred and twenty years of work based on ideals tending to tighten the economic, juridical and cultural bonds among the nations of the Continent, so as to present to the world a harmonious group of states, respecting human dignity, loving peace, serving culture and right.

If in 1815, four years before the liberation of Colombia, Bolívar suggested the project of holding in Panamá a magnificent Congress of representatives of the America nations serving the high ideals of continental solidarity and harmony, and in 1819 founded the Great Colombia so that on this basis "the American nation with only one bond joining its together and its parts with the whole" might be integrated, in 1826 he took action to convoke the oustanding meeting, in the assurance that it would leave deep vestige in the diplomatic history of America and that those searching the beginning of Public Law in the Western

Si en 1815, cuatro años antes de ser libertada Colombia, Bolívar formulaba el proyecto de reunir en Panamá un augusto Congreso de los representantes de las naciones americanas al servicio de altos ideales de solidaridad y armonía continentales, y en 1819 fundó la Gran Colombia para que con base en ellas se integrara "la nación americana con un solo vínculo que ligue sus partes entre sí y con el todo", en 1826 procedía a convocar la estelar reunión, seguro de que dejaría honda huella en la historia diplomática de América y que a ella se remitirían los buscadores de los comienzos del Derecho Público del Hemisferio Occidental. Con gran fundamento histórico y jurídico el Consejo de la OEA declaró la iniciativa bolivariana como "uno de los más antiguos e ilustres orígenes de la solidaridad continental, precursora del panamericanismo y origen de la actual Organización de Estados Americanos".

En el desarrollo del sistema interamericano Colombia continuó con significativos aportes. Fue Don Manuel Ancízar, quien en 1847, en su calidad de Canciller Colombiano, el que propuso la creación de una entidad destinada a ser "mediador voluntario en las desavenencias de nuestras repúblicas y un obstáculo benéfico a las contiendas armadas", entidad que más tarde tomó el nombre de Organo de Consulta.

En 1948, en cálido medio de expectativas políticas nacionales y contimentales, se adoptó en Bogotá, en la IX Conferencia Interamericana, la Carta de la Organización de los Estados Americanos.

Hemisphere. would refer to it. With great historical and juridical basis the consulting body of OAS declared the Bolivarian iniciative as "one of the oldest and most illustrious origins of continental solidarity, the precursor of panamericanism and the origin of the present Organization of American States".

In the development of the interamerican system Colombia continued to offer significant contributions. Don Manuel Ancízar in 1847, in his capacity of Colombian Minister of Foreign Relations, was the one who proposed the creation of an entity destined to be "voluntary mediator in the disagreements of our republics and a beneficial obstacle to armed disputes", which entity later of took the name of Consulting Body.

Within this tradition, true to the ideals of Bolívar, Colombia has expresed through one of her most distinguished internationalists, Don Marco Fidel Suárez, the theory of "Bolivarian Harmony", which, as its author explains, aims at "drawing more closely together the states freed by Bolívar, the group of Bolivarian nations, a peaceful federation of peoples to whom he gave liberty, a union of some twenty million souls who can stand before all men united in brotherly love in pursuit of happiness, through the cultivation of political and commercial relations and the resolve to defend their rights and interests, actively as well as peacefully".

In 1948, in Bogotá, in a fervent atmosphere of high nation and international political aspirations, there was adopted the Charter of the Organization of American States.

IEZA DEL CAUCA, MUSEO DEL ORO
ORNAMENT FROM CAUCA, GOLD MUSEUM
Cortesía del Banco de la República

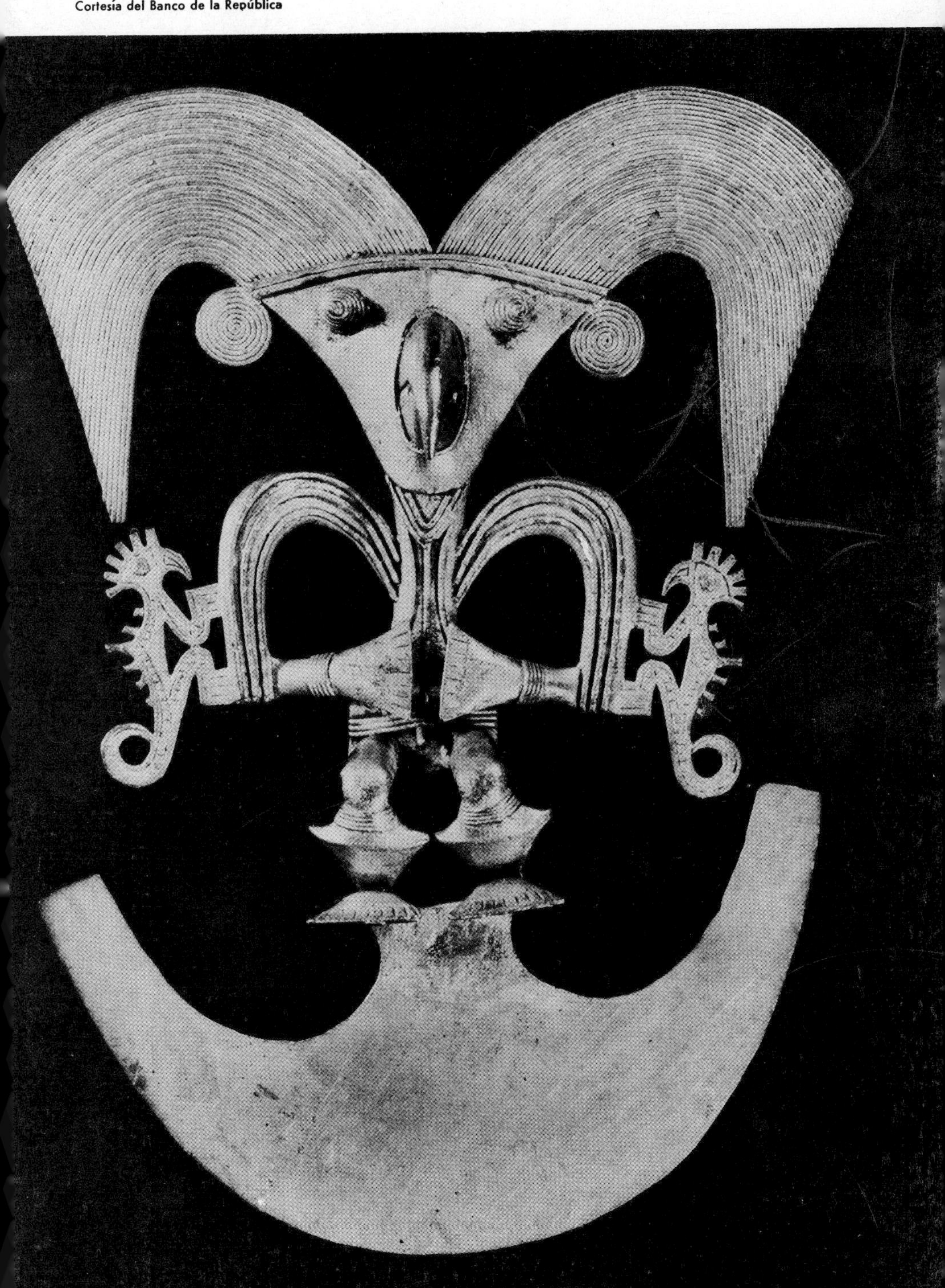

LA LECHUGA". CUSTODIA
E SAN IGNACIO. BOGOTA
ONSTRANCE OF CHURCH OF
AN IGNACIO. BOGOTA
Fot. Hernán Díaz

ULPITO DE SAN FRANCISCO, POPAYAN
ULPIT OF SAN FRANCISCO, POPAYAN
Fot. Hernán Díaz

PASOS BOYACENSES
PROCESSIONAL STATUES, BOYACA
Fot. Hernán Díaz

RETABLO DE LA IGLESIA DE SAN FRANCISCO. BOGOTA
RETABLE, CHURCH OF SAN FRANCISCO, BOGOTA
Fot. Hernán Díaz

CAPILLA DEL SAGRARIO. BOGOTA
CHAPEL OF THE SAGRARIÓ. BOGOTA
Fot. Germán Téllez. Cort. APE

PORTAL DE LOS DULCES, CARTAGENA
CANDY PORTAL, CARTAGENA
Fot. Hernán Díaz

Capítulo VI

ITINERARIO DEL VISITANTE CURIOSO

Introducción

RESULTARIA en extremo extensa la lista de los sitios y monumentos que por su interés geográfico, histórico y artístico, son dignos de contemplación por quien visita a Colombia.

En cuanto a geografía sólo se mencionan aquellas atracciones con probada fama de maravillas de la naturaleza, que en lo panorámico encuentran emocionante expresión en el Nevado del Tolima, testigo de poderosas y remotas conmociones geológicas y máxima prueba del andinismo nacional, y el sugestivo mirador de Bellavista, cerca de Villavicencio, desde donde se domina un gran sector de los Llanos Orientales en la forma de gigantesco mapa desplegado.

En lo histórico sería muy difícil hacer en esta síntesis una referencia siquiera de todos los sitios consagrados por la acción civilizadora de la Madre España, enaltecidos por el esfuerzo heroico de los libertadores o señalados por importantes acaecimientos de la república. En algunas ciudades la concentración de recuerdos histó-

Chapter Six

VISITOR'S ITINERARY

Introduction

IT would be difficult to elaborate a concise list of the places and monuments whose geographical, historical and artistic interest make them worthy of being observed by the visitor to Colombia.

With regard to geography we must mention only those attractions which may be classified as wonders of nature. This means that some of the most noteworthy landmarks must be excluded. Such, for instance is the snowcapped peak known as the Nevado del Tolima, a witness of remote and mighty geological upheavals and the outstanding example in Colombia of the Andean system. Such too, is that lovely point of vantage which is situated some miles above Villavicencio and is justly called Bellavista, a natural belvedere from which one commands a view of a large part of the Eastern Plains, spread out like an immense map.

On the historical side, it would be quite inadequate to attempt in this sketch even a passing reference to all the places of note, whether con-

ricos supone una extensa monografía dedicada a su somero registro. Tal es el caso de Cartagena de Indias, poblada de fuertes, castillos, templos y palacios que recuerdan las invasiones de los piratas, la lucha contra Inglaterra y el glorioso asedio de 1815; o el de Popayán, ciudad universitaria y semillero de próceres y repúblicos, que además de un magnífico pasado colonial, evoca la hidalguía de rancias familias que dieron a Colombia un Camilo Torres, un Francisco José de Caldas, un Tomás Cipriano de Mosquera, un Julio Arboleda y un Guillermo Valencia; o el de Rionegro, patria del apolíneo general José María Córdoba y sede de la Convención de 1863; o el de Villa de Leiva, cuna del héroe de San Mateo y sosegado ambiente en donde acaeció el ocaso de Nariño; o el de Guaduas, generoso albergue de viajeros ilustres y villa materna del artista botánico Francisco Javier Matiz y de la heroína popular Policarpa Salavarrieta. Y no ya en las ciudades, sino en las zonas agrarias, numerosos sitios acreditan su carácter memorioso y sus testimonio perenne de que allí acontecieron hechos decisivos de la guerra, del amor o de la civilización. Tal es el caso de la Hacienda de El Paraíso, en la que, según la tradición, se efectuó el idilio que registra la novela "María", universalmente conocida.

La enumeración de templos famosos sería inacabable. Santa Marta con la primera basílica erigida en la tierra del Nuevo Reino; Popayán, con el hermoso templo de San Francisco, prototipo del barroco atemperado; Bogotá, con la iglesia de Santa Clara, atesorada de maderas nobles y con la Capilla del Sagrario con su espléndida fachada en piedra; Medellín, con su

secrated by the civilizing activities of Mother Spain, or ennobled by the heroic exertions of the Liberators, or distinguished by important events under the Republic. The concentration of historical memories in some cities would demand, even for compiling the barest record, an extensive monograph. Such a city is Cartagena de Indias, studded with forts, castles, churches and palaces, which recall the attacks of the buccaneers, the struggle against England, and the Spanish siege of 1815, gloriously endured. Such also is Popayán, a university town and a nursery of worthies of the Republic, a city which evokes not only a splendid Colonial past, but also the hereditary glory of those old families which gave to Colombia a Camilo Torres, a Francisco José de Caldas, a Tomás Cipriano de Mosquera, a Julio Arboleda and a Guillermo Valencia. Such a town, too, is Rionegro, the seat of the Convention of 1863, and the home of the Apollo-like twenty-five-year-old General José María Córdoba; and such Villa de Leiva, the cradle of Antonio Ricaurte, the hero of San Mateo, and the tranquil scene on which the dying eyes of Antonio Nariño rested. Such also is Guaduas, stopping place of famous travelers and home town of the botanical artist Francisco Javier Matiz and of the popular heroine Policarpa Salavarrieta.

As for the famous churches of Colombia, their mere enumeration would prove well-nigh endless. Santa Martha, with the first basilica erected in the New Kingdom of Granada; Popayán with the graceful Church of San Francisco, a mo-

antiquísima y sobria Capilla de Santa Librada; Cali, con su iglesia franciscana, en la que el gusto, por lo arábigo, concuerda con el legado de sangre que a través de los colonizadores los colombianos recibieron de los hijos de Agar; y Tunja, con su inolvidable Capilla del Rosario y su hermosa Catedral, considerada ejemplo del influjo renacentista, inician el catálogo de arte religioso que continúan Monguí, Mompós, Mariquita y Santa Fe de Antioquia, con sus sencillas y armoniosas iglesias correspondientes a la blanca y fuerte arquitectura que dejó España en tierra de la América, y culminan los santuarios de Chiquinquirá, Monserrate, Buga y la Virgen de la Candelaria, en donde el fervor popular ha levantado imponentes fábricas.

En materia de museografía, el país se ha preocupado en los últimos lustros por presentar en forma ordenada y permanente las colecciones dignas de ser conocidas por propios y extraños. Cada ciudad comienza a organizar sus museos, y muchas instituciones de carácter histórico o científico han adoptado empeño semejante. El ejemplo lo han dado Bogotá, Medellín y Popayán. En la primera, la Academia Nacional de Historia y el Archivo Histórico Nacional han establecido salas especiales para mostrar sus más preciosos documentos y la voluntad popular ha hecho de la casa de Jorge Eliécer Gaitán, un museo, como homenaje al líder y al mártir; en la segunda, el espíritu público ha hecho posible el establecimiento del Museo de Zea, consagrado principalmente al recuerdo del científico y parlamentario que proclamó la Gran Colombia; en la tercera han sido convertidas en museo y

del of restrained Baroque; Bogotá, with the Church of Santa Clara, rich in noble woodwork; Medellín with its sober and most ancient Chapel of Santa Librada; and Tunja, with its unforgettable Chapel of the Rosary, stand at the head of the list of religious art which is continued by Monguí, Mompós, Mariquita and Santafé de Antioquia with their simple, well-proportioned churches, entirely in harmony with the sturdy, white architecture Spain left on American soil. And the catalogue culminates in the sanctuaries of Monserrate and Buga and the church of Our Lady of the Flagstones, an imposing fabric set up by a people's earnest faith.

In the matter of museums, Colombia has in recent years endeavoured to present in an orderly and permanent way collections worthy of being known by nationals and foreigners. Each city is beginning to organize its museums, and a number of historical and scientific institutions are similarly engaged. The example has been set by Bogotá and Popayán; in the former, the National Academy of History and the National Historical Archives have established special halls in which to display their most precious documents; in the latter, the houses of General Tomás Cipriano de Mosquera and maestro Guillermo Valencia have been converted into museums or retrospective exhibitions of the atmosphere in which they each performed their tasks. Private collections are also becoming known. Among these one of the foremost is that of the Chicó of Bogotá, with Colonial furniture, paintings and

exposición retrospectiva de obra y ambiente, las casas del General Tomás Cipriano de Mosquera y del maestro Guillermo Valencia. Las colecciones particulares empiezan igualmente a ser conocidas; una de ellas, la del Chicó, de Bogotá, organizada recientemente en el parque y museo del mismo nombre, cuenta con valiosas colecciones de cuadros, muebles, porcelanas y objetos decorativos de la Colonia y la Independencia.

Podría citarse también por su importancia y significación cultural y científica, las sedes de las Academias de la Lengua y de la Historia, de la Sociedad de Ingenieros y el Observatorio Astronómico, construído por Mutis. En este capítulo únicamente se da noticia de los museos más conocidos e importantes.

Campo de Boyacá

En el antiguo camino de Tunja a Santa Fe, se halla un pequeño puente sobre el río Boyacá, hoy casi exhausto. El 7 de agosto de 1819 allí se dio la batalla que selló prácticamente la independencia de Colombia y contribuyó de manera eficaz a la liberación de los demás países bolivarianos. Para impedir que Barreiro se retirara hacia la capital, y para comprometerlo en combate, el Libertador ordenó que su ejército siguiera apresuradamente al español. A las dos de la tarde se inició la batalla, que desde el primer momento fue favorable a las armas patriotas y tuvo episodio decisivo en el dominio del puente por la división del General Santander.

La república levantó en aquel campo, un severo monumento con los símbolos de la victoria y las efigies de los campeones, en el cual se hallan esculpidos los nombres heroicos de la

other objects of singular merit. Space has not permitted us to mention here any but the best-known and most important museums in Colombia.

The Battlefield of Boyacá

On the ancient road from Tunja to Santa Fé is to be found a little bridge over the Boyacá River, now almost dried up. Here on the 7th of August, 1819, was fought the battle which practically set the seal on the Independence of Colombia and contributed effectively to the liberation of the other Bolivarian countries. To stop Barreiro from retreating toward the capital and to force him to engage, the Liberator ordered his army to follow the Spaniard in hot haste. At two in the afternoon the battle began. From the very outset it proved favorable to the patriot arms; the decisive moment came when the bridge was seized by General Santander's division.

On that battlefield the Republic raised an austere monument displaying the symbols of the victory and the effigies of the champions, and graven with the names rendered heroic by that day and with Bolivar's shining apophthegm: "The freedom of the New World is the hope of the world".

The National Capitol

Severely classical in style, executed entirely in stone, and fronted with an imposing colonnade, the National Capitol was begun on the 28th of July, 1848, in the first presidential period of General Tomás Cipriano de Mosquera. It contains three great hemicycles —that of the Chamber of Representatives, that of

jornada y el iluminado apotegma de Bolívar: "La libertad del Nuevo Mundo, es la esperanza del Universo".

Capitolio Nacional

Severo edificio, de estilo clásico, ejecutado totalmente en piedra, y con imponente columnata frontal, su construcción fue iniciada el 28 de julio de 1848, durante la primera administración del General Tomás Cipriano de Mosquera. Alberga tres grandes hemiciclos: el de la Cámara de Representantes, el del Senado de la República y el Salón Elíptico, destinado a la reunión del Congreso pleno y a la capilla ardiente de los expresidentes de Colombia. La tradición parlamentaria del país durante las postrimerías del siglo XIX y los lustros sucedidos del presente, se ha cumplido bajo su techo. Allí se efectuaron los célebres debates sobre la separación de Panamá, el proyecto de pena de muerte, el conflicto con el Perú, y la reforma tributaria; y el verbo ilustre de Miguel Antonio Caro, Guillermo Valencia, Antonio José Restrepo, Jorge Holguín, José Camacho Carreño y Laureano Gómez, conmovieron su atmósfera con noble vibración.

En los patios principales se encuentran las estatuas del General Tomás Cipriano de Mosquera y del doctor Rafael Núñez, y las decoraciones más importantes se deben a los pinceles de Andrés de Santamaría y Santiago Martínez Delgado.

Casa colonial en Bogotá

El Museo Colonial de Bogotá, fundado en 1936 e inaugurado oficialmente en 1942, funciona en el edificio de estilo clásico español cons-

the Senate, and the Elliptic Hall, which last serves for the meeting of the whole Congress and the lying-in-state of Colombia's ex-Presidents. In this building the parliamentary tradition of the country has been made manifest from the end of last century down to our own times. Here celebrated verbal battles have been waged, such as the debates on the Separation of Panamá, the Capital Punishment Bill, the Trouble with Perú, and Tax Reform; and the splendid speeches of men like Miguel Antonio Caro, Guillermo Valencia, Antonio José Restrepo, Jorge Holguín, José Camacho Carreño and Laureano Gómez have filled this precinct with heart-shaking eloquence.

In the principal courtyards stand the statues of General Tomás Cipriano de Mosquera and Dr. Rafael Núñez, while the walls are adorned with the art of Andrés de Santamaría and Santiago Martínez Delgado.

The Colonial House of Bogotá

Bogotá's Colonial Museum, founded in 1936 and officially inaugurated in 1942, is housed in a building of classical Spanish style, built in 1606, which has been at various times throughout its history auxiliary premises of the Xaverian University, barracks for Morillo's soldiers, library and hall of parliament. In the precinct, austerely evocative of other times, the first grateful impression of the Colonial House comes from the patio bordered with geraniums and having in its centre a fountain presided over by a little stone statue of St. John the Baptist. This is the image which graced the Great Square of Santa Fe in the eighteenth

truído en 1606, que a través de la historia ha sido dependencia de la Universidad Javeriana, cuartel de los soldados de Morillo, Biblioteca y aula parlamentaria. Dentro de un severo ambiente de evocación, la primera grata impresión de la Casa Colonial la ofrece su patio desbordado de geranios, en cuyo centro se halla una fuente que preside la pequeña estatua en piedra de San Juan Bautista, la misma que existió desde el siglo XVIII en la Plaza Mayor de Santa Fe y que los bogotanos llamaron burlonamente "el mono de la pila".

En los salones se hallan, ordenadamente expuestas, ricas colecciones de muebles, platería, esculturas y cuadros, destinados a dar fiel impresión sobre el medio colonial.

La pinacoteca, el renglón más valioso del espléndido inventario, comprende doce cuadros de Gaspar y Baltasar de Figueroa, uno de Antonio Acero de la Cruz, uno de Antonio García, nueve atribuídos a Joaquín Gutiérrez, setenta de autores anónimos de la Colonia y ciento cinco dibujos y setenta y seis cuadros de Gregorio Vásquez Arce y Ceballos.

Casa del 20 de Julio

En la casa que inicia la calle real de Bogotá y de la cual hacía parte la tienda en que se efectuó la reyerta entre el comerciante español José González Llorente y los caballeros criollos Francisco y Antonio Morales, que tan decisiva fue para el movimiento cívico del 20 de Julio de 1810, por iniciativa de la Academia Colombiana de Historia se ha establecido un magnífico Museo, valio-

century and which the people of Bogotá have banteringly christened "The Little Darling at the Font".

In the salons there is an orderly and opulent collection of furniture, silver-work, sculpture and painting, calculated to give a true idea of the Colonial atmosphere.

The pinacotheca, which is the most valuable part of this splendid treasure-house, comprises twelve pictures by Gaspar and Baltasar de Figueroa, one by Antonio Acero de la Cruz, nine attributed to Joaquín Gutiérrez, seventy by anonymous artists of Colonial times, and, finally, a hundred and five drawings and sixty-six paintings by Gregorio Vásquez, Arce y Ceballos the best-known Colombian painter of Colonial times.

The Castles and Fortresses of Cartagena

It was the wish of Philip II of Spain that against the massive stone breast of Cartagena de Indias, girt with broad walls and thick with forts and castles, the unfriendly enterprises of the Caribbean fillibusters should crash and the imperial ambitions of England be thwarted.

Cartagena was assaulted in 1544 by the French corsair Robert Baal, and in 1586 by the Englishman Sir Francis Drake. The Governor in 1620, Girón de Loaisa, brought to nothing a third invasion of confederated French and English freebooters. But Barón de Pointis, in 1697, was able, by means of a large naval concentration, to reduce the city. In 1741 Admiral Vernon, at the head of a powerful English squadron, attempted the fifth and last raid in

so como ambiente de la época y testimonial de nuestra independencia. Entre los nobles objetos que atesora este museo se encuentran la prensa en la que el Precursor Nariño imprimió la "Declaración de los Derechos del Hombre" y el florero cuyo préstamo para adornar la mesa del Comisario Regio Antonio Villavicencio fue negado por Llorente, originándose así el histórico incidente ya referido.

Casa del señor Suárez

En el Municipio Antioqueño de Bello, anteriormente denominado Hato Viejo, se encuentra la casa en que nació don Marco Fidel Suárez, eximio estilista y Presidente de Colombia. Se trata de una choza de techo pajizo que, no obstante su fragilidad, el pueblo antioqueño ha conservado incólume, como monumento significativo del espíritu democrático colombiano que hizo posible la ascensión de un hombre desde una humilde cuna hasta la primera magistratura de la República, en razón de sus méritos y virtudes, y del voto categórico de la opinión.

Castillos y fuertes de Cartagena

Ceñida de anchas murallas y poblada de fuertes y castillos, quiso el Rey de España que contra el pecho de piedra de Cartagena de Indias se estrellaran las empresas filibusteras del Caribe y las ambiciones imperiales de Inglaterra.

Asaltada en 1544 por el pirata francés Roberto Baal y en 1586 por el corsario inglés Francisco Drake, en 1620 el Gobernador Girón de Loaisa hizo fracasar una tercera invasión de piratas franceses e ingleses, coaligados. En 1697 el Barón de

the Colonial period. Notwithstanding the apparent superiority of the English, the fortress, under the command of Don Blas de Lezo, resisted so stoutly that the veteran British commander was obliged to retire with his force decimated. Thus, this most serious military attempt of England's failed to take that key position in the New Kingdom of Granada which might have opened the door to future territorial expansion on Spanish-American soil.

On the 17th of August, 1815, a numerous and well-supplied expedition appeared before Cartagena, commanded by Don Pablo Morillo, who had been appointed "Pacifier of Nueva Granada and Venezuela". The Spanish general laid relentless siege to the city, but though hunger, disease and internal discord contributed to the adversity of the beleaguered, the people of Cartagena held out for four months with exemplary fortitude. On the 5th of December the city, by then stricken and desolate, was forced to capitulate. Scaffolds were soon erected in the public squares, and there the first martyrs of Colombian freedom laid down their lives on the 24th of February, 1816.

Cartagena's most important military structures are the Fort of San Felipe de Barajas and the Castle of San Fernando at Bocachica. The former, rendered inaccessible in front by a stone incline, proudly dominates the city. Inside, there is a labyrinth which constitutes an efficient last line of defense.

The castle of San Fernando rises majestically at the entrance to the Bay of Cartagena. Through this

Pointis, con una considerable fuerza naval, dominó la ciudad. En 1741 el Almirante Vernon, al frente de una poderosa escuadra inglesa intentó la quinta y última invasión del período colonial. No obstante su superioridad, la plaza bajo el mando de don Blas de Lezo, se defendió con tal denuedo, que el aguerrido jefe británico tuvo que retirarse con sus huestes diezmadas. Así, resultó estéril el más grande empeño militar de Inglaterra encaminado a tomar la posición decisiva del Nuevo Reino de Granada para desarrollar futuros planes de expansión en suelo hispano-americano.

El 17 de agosto de 1815 se presentó frente a Cartagena la numerosa y bien abastecida expedición de don Pablo Morillo, designado pacificador de la Nueva Granada y Venezuela. El General español sometió la ciudad a implacable asedio, y aunque el hambre, las enfermedades y hasta las discusiones internas contribuyeron a la adversidad de los cartageneros, éstos resistieron ejemplarmente durante cuatro meses. El 5 de diciembre Cartagena, aniquilada, tuvo que capitular, y el 24 de febrero de 1816 se levantaron en sus plazas los patíbulos en que murieron los primeros mártires de la libertad de Colombia.

Las fábricas militares más importantes de Cartagena son el fuerte de San Felipe de Barajas y el Castillo de San Fernando de Bocachica. El primero domina orgullosamente la ciudad y en la parte frontal lo hace innaccesible un repecho de piedra levemente inclinado. En su interior, una galería laberíntica establece un último y eficaz sistema de defensa.

passage, which bears the name of Bocachica, all craft must navigate, since the natural access to the Bay, known as Bocagrande, was long ago stopped up by the Spaniards. The structure recalls the castles that were set up on the coasts of Spain in the Middle Ages; there is a graven Spanish coat-of-arms on the stone floor of the portal, and the spacious parade ground recalls the fact that this was made to accommodate the free movement of several hundreds of men-at-arms. The armoury was kept cool by means of a special device of intramural ventilation. The merlons made it possible to take safe and acurate aim at an attacker.

It was in the vaults of this castle that Antonio Nariño, the Precursor of Independence, suffered ignominious imprisonment, and it was from its watchtower that Sancho Jimeno, covering himself with glory, directed the heroic resistence which frustrated the siege laid by Barón de Pointis in 1697.

The Church of St. Dominic, in Cartagena

This church and its adjoining convent are among the purest and most attractive examples of the colonial architecture of Cartagena. The facade, decorated with the arms of Calatrava, is impressive in its simple dignity; the cloister breathes an atmosphere of deep, sun-filled meditation. In the church, which has been several times restored, there is the famous statue of the Christ of the Expiration, attributed by legend to a mysterious angelic sculptor who visited the convent in colonial times. This statue is a center of religious

El segundo se yergue majestuoso a la entrada de la bahía de Cartagena, conocida con el nombre de Bocachica, paso obligado de toda embarcación, después de que los españoles cegaron el acceso natural de dicha bahía, denominada Bocagrande. Su edificación recuerda los castillos españoles costaneros de la Edad Media, con el escudo hispánico esculpido en el piso de la entrada, y su gran plaza de armas, hecha para el holgado movimiento de varios centenares de soldados. Su depósito de armas estaba refrigerado con un recurso de ventilación entre los muros, y sus almenas ofrecían la posibilidad de hacer fácil blanco sobre el invasor.

Catedral de Bogotá

El memorable 6 de agosto de 1538, día en que don Gonzalo Jiménez de Quesada fundó a Santa Fe de Bogotá, el capellán de la expedición fray Domingo de las Casas, dijo la primera misa, en el mismo sitio que hoy ocupa el altar mayor de la Catedral Metropolitana. La iglesia pajiza que sirvió para el efecto fue demolida para erigir, en cambio, la que vino a tierra en 1569. En 1572, el arquitecto Juan de Guevara, edificó una nueva, derruída en 1883 por disposición del Arzobispado. En 1807 se inició la fabricación de la actual basílica, de acuerdo con los planos del sabio arquitecto capuchino fray Domingo de Petrés. La consagración se hizo tres lustros más tarde.

Caracteriza su interior una solemne y doble columnata que conduce a la gran oquedad, amparada por una magnífica cúpula. Entre sus joyas se encuentra el pendón, con la

devotion in Cartagena, and the people's veneration of the Christ of the Expiration is entwined with the long history of struggles and tragedies through which the city has passed.

The Cathedral of Bogotá

On the memorable 6th of August, the day on which Don Gonzalo Jiménez de Quesada founded Santafé de Bogotá, the chaplain of the expedition, Fray Domingo de Las Casas, said the first mass on the very spot where the high altar of the Metropolitan Cathedral now stands. The wattled tabernacle which did duty as a church was pulled down to give place to another structure, which in turn, fell in 1569. In 1572 the architect Juan de Guevara set up a new building, which lasted till 1803, when its demolition was ordered by the Archbishop. The construction of the present basilica was begun in 1807 in accordance with the plans drawn by that sagacious architect, the Capuchin Fray Domingo de Petrés. Fifteen years later the building was consecrated.

The interior is distinguished by a stately double colonnade leading to an enclosure, over which extends a magnificent cupola. Here among other relics is the pennon, adorned with an image of Christ, which the soldiers of the Conquest bore pilgrim-like all through their toilsome marches; and here are the last resting-places of the Founder of Bogotá and the Precursor of Independence.

The Church of San Francisco in Bogotá

The greatest wealth of artistic traditions from the times of the Colony is concentrated in the Church of San

imagen de Cristo, que condujeron a través de su peregrinación los soldados de la Conquista, y su recinto alberga las tumbas del Fundador de Bogotá y del Precursor de la Independencia, don Antonio Nariño.

Catedral de Sal

Es un impresionante y original templo subterráneo construído en las salinas de Zipaquirá, distantes de Bogotá cincuenta kilómetros. El fervoroso culto de los mineros a su patrona celestial, Nuestra Señora de Guazá, determinó la construcción de este santuario, para lo cual se aprovecharon algunas gigantescas galerías abiertas en el curso de varios siglos de explotación de la salina. Iniciados los trabajos arquitectónicos y ornamentales en octubre de 1950, se les dio cima cuatro años más tarde. Decisivo fue el concurso prestado por el Gerente del Banco de la República y Mecenas de la cultura patria, Luis Angel Arango.

La basílica tiene una superficie de 5.500 metros cuadrados y una longitud de 120 metros. Los arcos, cuya altura es de 75 metros, están sostenidos por diez columnas con una base de ochenta metros cuadrados, cada una. Las naves son cuatro y la central, llamada de la Redención, está dominada por una sencilla e inmensa cruz.

Hermosas graderías, sobrios detalles decorativos y una adecuada iluminación indirecta, concurren también a formar el ambiente de la catedral, completamente tallada en sal y llamada con justicia por un periodista estadinense "Una de las maravillas del mundo católico".

Francisco in Bogotá. The two naves bear witness in their splendid ornamentation to the sway of the Baroque and the Plateresque, whose whims are here interpreted by Spanish and Colombian craftsmen and artists. The main attraction, however, is the woodwork, especially the great retable of the famed Asturian carver Francisco García de Ascucha.

The temple is rich in paintings, and among its canvases there is an outstanding St. Francis by the Spanish artist Francisco de Zurbarán, a gift from one of the members of the Royal Audiencia.

Next door to the church is the Convent of the Order of St. Francis, where Don José Solís Folch y Cardona lived and died. This was the celebrated Friar-Viceroy who renounced the privileges and splendors of his exalted rank to knock one morning at the gate of the cloister and ask for the lowly habit of St. Francis.

The Church of St. Peter Claver

In Cartagena, near the convent where St. Peter Claver lived and died, there is an imposing church bearing his name. In architectural line it is the restrained baroque characteristic of the Jesuit style. The remains of the apostle of the negroes are preserved in a crystal urn beneath the main altar.

The Salt Cathedral

The Salt Cathedral is a strikingly original underground church, built in the salt mines of Zipaquirá, fifty kilometers from Bogotá. The fervent devotion of the miners toward their heavenly patroness, Our Lady of Guaza, inspired the building of

Colegio Mayor de Nuestra Señora del Rosario

Fue fundada en 1653 por el Arzobispo fray Cristóbal de Torres, quien lo organizó mediante un estatuto que secularmente ha regido con el nombre de *Constituciones.*

El Colegio del Rosario es llamado con justicia *Cuna de la República,* porque, además de haber preparado gran parte de la generación de Independencia, su aporte docente ha sido decisivo para la vida democrática del país. Sede magistral de Mutis y Torres, en sus aulas se dictó la primera cátedra de matemáticas del Nuevo Mundo. Convertido en cárcel de patriotas, en sus celdas pasaron la última noche la heroína popular Policarpa Salavarrieta y el insigne matemático Francisco José de Caldas, que en el camino al cadalzo trazó, con carbón, en el muro de la escala principal, su célebre ideograma "Oh larga y negra partida!". Además de las inscripciones y documentos que conmemoran las glorias institucionales, el Colegio Mayor cuenta con una imagen de Nuestra Señora, bordada por la propia Reina de España, que cariñosamente se ha llamado, a través de los siglos, La Bordadita.

Cueva de Tuluní

En el Municipio de Chaparral, Departamento de Tolima, se encuentran unas gigantescas cuevas de fantástica perspectiva. Estalactitas y estalagmitas, en la forma de fabulosas columnatas inconclusas, decoran los oscuros recintos; millones de pájaros encuentran allí seguro refugio, y una hermosa quebrada se precipita en su interior, poblándolo de sugestiones musicales.

this sanctuary, using several giant galleries that had been excavated in the course of centuries of exploitation of these salt mines. The work of construction and decoration was begun in October, 1950, and completed four years later. The project was greatly aided by the help of Luis Angel Arango, director of the Bank of the Republic and patron of Colombian culture.

The Cathedral is 120 meters long, with a total area of 5.500 square meters. The arches, 75 meters high, are supported by ten columns, each with a base 80 meters square. There are four naves; the center nave, called the Nave of the Redemption, is dominated by a huge, plain cross.

Handsome altar steps, dignified decorative detail, and indirect illumination help to produce the distinctive impression of this cathedral, carved completely out of salt and rightly called, by an American journalist, "one of the wonders of the Catholic world".

Colegio Mayor de Nuestra Señora del Rosario

The institution of secondary and higher learning known as the Colegio Mayor de Nuestra Señora del Rosario was founded in 1653 by the famous Archbishop Fray Cristóbal de Torres, who drew up for its organization those statutes which have come down through the ages under the name of "The Constitutions".

The Colegio del Rosario is justly called "The Cradle of the Republic", since, in addition to having fostered a great many of the generation of Independence, it has made decisive contributions to the democratic life of the country. Here Mutis and

Hacienda de Yerbabuena

A treinta kilómetros de Bogotá se encuentra esta tradicional hacienda, prototipo de la cultura sabanera del siglo XIX y sobremanera vinculada a la historia literaria del país. En su vieja casona se cumplieron numerosas reuniones de los cenáculos literarios románticos y costumbristas, y allí escribió don José Manuel Marroquín la novela *El Moro*. En la actualidad es sede del Instituto Caro y Cuervo que allí tiene instalados la biblioteca y los departamentos de investigación. Dos museos de gran interés y promesa se han organizado recientemente: el literario, que dentro del ambiente de la casa campesina de los días románticos ofrece al visitante el conocimiento de preciosos documentos de las letras colombianas tales como borradores de famosas poesías, epistolarios de próceres de la inteligencia, etc., además de óleos, fotografías, muebles y objetos memoriosos; y el museo de arte popular, que se va formando paso a paso con la contribución del departamento de dialectología y como complemento objetivo del Atlas Lingüístico-Etnográfico de Colombia. En Yerbabuena también funciona la Imprenta Patriótica, llamada así en recuerdo de la que fundó en Santa Fé don Antonio Nariño, destinada a publicar los trabajos del Instituto, con un criterio de alta calidad editorial.

Hoyo del Aire.

En el Municipio santandereano de La Paz y sobre un penacho de la Cordillera Oriental existe un círculo de ciento doce metros de diámetro y ciento dieciocho de profundidad,

Torres taught, and here was established the first chair of Mathematics in the New World. Turned into a jail for patriots, this College afforded the cells in which the popular heroine Policarpa Salavarrieta and the noted mathematician Francisco José de Caldas spent their last nights on earth. Caldas on the way to the place of execution, drew on the side of the principal staircase an ideogram of farewell.

Besides the inscription and documents which commemorate its institutional glories, the Colegio Mayor possesses an embroidered likeness of Our Lady which is the handiwork of a queen of Spain and to which in loving affection tradition has given the name of "La Bordadita". (The Little Fancywork Madonna).

The Caves of Tuluni

In the municipality of Chaparral, in the Departament of Tolima, there are some gigantic caverns whose interior vistas are often fantastic. The entrances to some of them are concealed by undergrowth. Their dark recesses are eerily embellished with fabulous unfinished colonnades of stalactites and stalagmites. Thousands of birds find shelter and safety here, and the intimations of wandering music are enhanced and multiplied by the gurgling of a pleasant brook.

Hacienda Yerbabuena

At a distance of thirty kilometers from Bogotá this traditional farm is found, a prototype of the savanna culture of the XIX century and exceedingly attached to the literary history of the country. At its old house numerous meetings were held of realist and romantic literary cena-

aproximadamente. Dada la enorme atracción centrífuga, para llegar al borde del abismo es necesario arrastrarse cautelosamente sobre el suelo, pues de lo contrario se corre el peligro de caer en el fondo, que, de acuerdo con versiones legendarias, guarda ingentes tesoros de la época precolombina.

Iglesia de San Francisco de Bogotá

Esta iglesia recoge una de las mayores sumas de tradiciones artísticas de época colonial. Constituída por dos naves espléndidamente decoradas con los caprichos del barroco y el plateresco, interpretados por artistas y artesanos tanto del país como de España, su principal atracción reside en las obras de madera, principalmente el retablo mayor, del famoso tallista asturiano Francisco García de Ascucha.

El templo es rico en pinturas, y entre sus lienzos sobresale un San Francisco de Zurbarán, generosa donación de un miembro de la Real Audiencia.

Inmediato se encuentra el convento de la Orden, en el cual vivió y murió el famoso virrey fraile don José Solís Foch de Cardona, que dejó el esplendor y privilegios de su alto rango para golpear, una mañana, en las puertas del claustro, en solicitud del humilde hábito de San Francisco.

Iglesia de Santo Domingo, en Cartagena

Esta iglesia con su convento respectivo es uno de los ejemplos más sugestivos y puros de la arquitectura colonial de Cartagena, atesorada, además, por una muy ilustre y culta tradición. La fachada de sabia senci-

cles, and there Don José Manuel Marroquín wrote his well known novel *El Moro.* At present it is the headquarters of the Instituto Caro y Cuervo where its library and research departments are functioning. Two museums of great interest and promise have been organized recently: the literary one, which within the atmosphere of the country house of the romantic days offers the visitor the knowledge of precious documents of Colombian letters such as drafts of famous poetry, epistolaries of intellectual grandees, etc., besides oil paintings, photographs, furniture and objects of memorable times; and the museum of popular art which is forming step by step through the contribution of the department of dialectology and as an objective complement of the Linguistic Ethnographic Atlas of Colombia. The Patriotic Press also functions at Yerbabuena. It is so called in memory of the one founded in Santa Fe by Don Antonio Nariño, and is used to publish the works of the Instituto, with a criterion of high editorial quality.

Air-Hole

In the municipality of La Paz in Santander, on a dizzy crest of the Eastern Cordillera, there is a well-known air-pocket 112 meters in diameter and 118 in depth. Because of the powerful centrifugal attraction, anyone who wishes to reach the edge of the abyss must perforce creep cautiously on the ground, for he will otherwise run the risk of falling to the bottom, which legend has covered with the prodigious treasures of a Pre-Columbian age.

llez muy alabada, está ornada con las armas de Calatrava. En el templo, varias veces restaurado, se encuentra la famosa imagen del Cristo de la Expiración, que se atribuye a un misterioso tallador de origen angélico que visitó el convento en los días de la Colonia. Este Cristo es el predilecto de la devoción cartagenera, y ha constituído la fuerza tutelar en las grandes tragedias vividas por la ciudad.

Iglesia de San Pedro Claver

En Cartagena, junto al convento en el cual vivió y murió, se erige un imponente templo llamado hoy de San Pedro Claver cuya arquitectura y decoración corresponde a un discreto barroco característico del estilo jesuítico. Bajo el altar mayor, en urna de cristal, se conservan los restos del Apóstol de los negros.

Museo del oro

El Banco de la República se ha distinguido como entidad propulsora de la cultura colombiana. Con tal carácter organizó el Museo del Oro, constituído en su mayor parte por varios centenares de piezas de orfebrería, correspondientes a las civilizaciones precolombinas del Nuevo Reino de Granada, principalmente la chibcha, la quimbaya y la sinú.

Este museo no sólo tiene una alta significación artística, sino que es muy importante para el estudio de las civilizaciones vivas en la época de los conquistadores, con base en el significado cultural de los áureos objetos salvados por los huaqueros o descubridores de santuarios, tales como tunjos o figuras humanas, joyas de la vanidad femenina y de la jerarquía varonil, armas de guerra,

House of the 20th of July

At the house at the beginning of the "Calle Real" of Bogotá, which once contained the store where the dispute between the Spanish merchant José González Llorente and the "criollo" gentlemen Francisco and Antonio Morales took place, a decisive event for the civic movement of July 20, 1810, a wonderful Museum, very valuable as an example of the atmosphere of that epoch and testimonial of our independence, was established by initiative of the Colombian Academy of History. The press used by Precursor Nariño to print the "Declaration of the Rights of Man" and the vase which was not loaned to decorate the table of Commissary Regio Antonio Villavicencio, thus originating the historical incident mentioned before, are found among the noble objects treasured in this museum

Señor Suárez's House

The house of Don Marco Fidel Suárez, that superlative stylist who became President of Colombia, is to be found at Bello, formerly called Hatoviejo, a municipality of Antioquia. It is preserved by the people of Antioquia as a monument to that democratic spirit of Colombia which made it possible for such a man as Suárez to ascend from a humble cradle to the highest magistracy of the Republic by reason of his merits and virtues and the categorical demand of the ballot.

The Gold Museum

The Bank of the Republic enjoys the eminence of being an institution actively interested in Colombian cul-

utensilios de la vida doméstica e instrumentos musicales.

Museo Nacional

La Junta organizadora de la IX Conferencia Internacional Americana decidió convertir el macizo y lóbrego edificio del Panóptico de Bogotá (construído bajo la influencia de las ideas de Bentham sobre el sistema penitenciario), en decorosa sede de los museos etnolóligos y arqueológico, histórico y de bellas artes.

El Museo Etnológico y Arqueológico está constituído por colecciones científicamente clasificadas, que tratan de reproducir el proceso de la vida doméstica y social de los grupos demográficos precolombianos. Merecen especial atención los testimonios de las civilizaciones chibcha, quimbaya y pijao, y las esculturas originales y en copia, pertenecientes a la cultura agustiniana.

El Museo Histórico está integrado por objetos pertenecientes al pasado nacional, en sus períodos de Conquista, Independencia y República. Allí se encuentran la cota de malla de Jiménez de Quesada y una colección de banderas de la Independencia y de la Gran Colombia. Por donación especial del Mariscal de Ayacucho este museo guarda el espléndido manto de la esposa de Atahualpa.

El Museo de Bellas Artes posee importantes colecciones de pintura y escultura en las cuales se puede apreciar el proceso evolutivo de las artes plásticas en los siglos XIX y XX, y principalmente los movimientos y las tendencias de influjo universal. El arte colonial tiene su exposición permanente en la casa del mismo nombre.

ture. It was in this spirit that it organized the Gold Museum, which consists mostly of several hundred pieces of goldwork belonging to various Pre-Columbian civilizations of the New World, particularly the Chibcha, the Kimbaya and the Sinú.

This museum not only possesses high artistic significance, but it is also very important for the study of the civilizations that were alive in the time of the Conquistadors. Any such study must be grounded in the cultural meaning of such gold objects salvaged by treasure hunters and investigators as the so-called *tunjos* (figures of human beings), the jewels which testify to female vanity and manly rank, weapons, domestic utensils and musical instruments.

The National Museum

The Central Planning Board of the Ninth American International Conference decided to convert the massive, uninviting Penitentiary of Bogotá (built under the influence of Bentham's scheme for a panopticon and his ideas on prison reform) into seemly premises for the Museum of Ethnology, Archeology, History and Fine Arts.

The Museum of Ethnology and Archeology comprises scientifically classified collections of objects calculated to illustrate the domestic and social aspects of a demographical study of Pre-Columbian groups.

Worth special attention are the testimonials of the Chibcha, Kimbaya and Pijao civilizations, as also the sculpture, whether original or copied, of the Augustinian culture.

The Museum of History is composed of objects pertaining to the

El Museo de Bellas Artes cuenta con una importante colección de cuadros de autores colombianos de los siglos XIX y XX correspondientes a las tendencias y movimientos de la pintura nacional en ese largo lapso, (románticos, neoclásicos, modernos, figurativistas y abstraccionistas) entre los cuales se consideran magistrales y consagrados por el juicio justiciero de la historia los de Epifanio Garay, consumado retratista; Ricardo Acevedo Bernal, famoso por los retratos del Libertador; Roberto Pizano, expositor de varias direcciones pictóricas de su época, y Andrés de Santamaría, quizás el más esclarecido representante del impresionismo en la América Latina.

Museo del Seminario de Bogotá

Aunque es menester visitarlo con permiso, este Museo guarda considerables tesoros históricos de la pintura colombiana de todos los tiempos, incluyendo toda una sala de Vásquez Arce y Ceballos y pintores del siglo pasado de la categoría de Epifanio Garay, Ricardo Acevedo Bernal y Ramón Torres Méndez. Entre los ejemplos de pintura universal se encuentra "La virgen orante" de Quentin de Metsys y también se pueden admirar varias obras atribuídas a las escuelas flamenca y holandesa de los siglos XVI y XVII. La decoración del museo es impresionante por estar constituída por hermosas tallas en madera policromada, llamativos bargueños y ornamentales eclesiásticos de larga y noble tradición.

Museo de Numismática

Se debe la organización de este Museo al Banco de la República y

nation's past, which extends over the periods of the Conquest, the Independence and the Republic. It contains Jiménez de Quesada's coat of mail, and a collection of Independence and Gran Colombia flags.

The Museum of Fine Arts has important collections of painting and sculpture, in which can be observed the development of plastic art in the 19th and 20th centuries, especially the influence of various movements and trends. There is a permanent exhibition of colonial art in the gallery of the same name.

The Museum of Fine Arts possesses a collection of pictures by Colombian painters, among them the famous portraitist Epifanio Garay; Ricardo Acevedo Bernal, well-known for his iconograph of the Liberator; Francisco Cano, the interpreter of the Savanna; Roberto Pizano, an artist of exquisite sensibility who came to an untimely end; Andrés de Santamaría, an impressionist of notable plastic quality; Ricardo Gómez Campuzano, the painter of waters and tropical vegetation; Luis Alberto Acuña, the exponent of the aboriginal soul; Santiago Martínez Delgado, an expert draftsman with a flair for the decorative; Ignacio Gómez Jaramillo, whose human figures are suggestive, while his landscapes are spontaneous; Sergio Trujillo, poetic in conception and delicate in color sense; Gonzalo Ariza, the lover of mist and light on field and mountain. There are many more not less worthy of mention, representatives of the Neo-Classical, Romantic and various modern schools.

constituye la sección histórica de la Casa de Moneda. En cerca de veinte vitrinas se exhiben las muestras ordenadas de la numismática colombiana, desde la más temprana época colonial hasta nuestros días. De esta manera allí se pueden encontrar las famosas barras que servían para demostrar el haber pagado los quintos reales; los patacones, de procedencia mejicana pero de gran circulación en el medio neogranadino; la moneda de cordoncillo; la moneda patriota denominada "la china" y numerosas monedas que representaron la riqueza circulante en el país desde los días de la Gran Colombia hasta las de la emergencia de principios del siglo que fueron acuñadas con vainillas de balas disparadas en la última guerra civil.

Palacio de la Inquisición

En 1610, Juan de Mañozca y Mateo de Salcedo establecieron en Cartagena el Tribunal del Santo Oficio y poco después se iniciaron procesos y ceremonias, con el carácter impresionante que era peculiar en la metrópoli. Sede definitiva fue la hermosa casa de espléndida fachada barroca que todavía se conoce con el nombre de Palacio de la Inquisición.

Entre las causas más curiosas se cuentan la del mestizo Luis Andrea, de quien aseguraban tener convenio con un demonio de nombre Busiraco; la de Francisca Mejía, hechicera mulata que adivinaba la suerte por el tamaño v el color de los cereales; la del dominico Juan de Segura, que no aceptaba la existencia de mujeres dignas de ser llevadas a los altares, la de fray Jerónimo Baillo, por imprudente revelación de algunos detalles sobre su antigua vida de soldado.

Numismatics Museum

This museum owes its establishment to the Bank of the Republic, and constitutes the historical section of the Casa de Moneda. In some twenty display cases there is an exhibition of Colombian currencies from the earliest colonial days to modern times. Here can be seen the famous *"barras"*, used to prove payment of the king's tax; the *patacones,* of Mexican origin but widely circulated in New Granada; cord money; the patriot money called *china,* and many other species of currency circulated in the country from the days of Gran Colombia to the times of crisis at the beginning of this century when money was cast from the casings of bullets fired in the civil war.

Museum of the Seminary of Bogotá

Although permission is required to visit it, this museum has a sizeable treasure of Colombian painting from all periods of the country's history, including an entire hall of Vásquez Arce y Ceballos, and many works of nineteenth-century painters of the category of Epifanio Garay, Ricardo Acevedo Bernal, and Ramón Torres Méndez. Among representatives of world painting there is the "Virgin in Prayer" of Quintin de Metsys and number of other works of the Flemish and Dutch schools of the sixteenth and seventeenth century. The decoration of the museum is very impressive, with beautiful works in painted wood carving and striking examples of a long and proud tradition.

Palacio de San Carlos

Hermosa construcción de finales del siglo XVI, en ella han acontecido cuatro hechos importantes para la historia nacional; desde 1605 hasta 1770, en su claustro funcionó un instituto anexo al Colegio de San Bartolomé; en 1777 el Oidor Francisco Antonio Moreno y Escandón fundó en sus salones la Real Biblioteca de Santa Fe; en uno de sus aposentos murió el fundador del periodismo neogranadino, don Manuel del Socorro Rodríguez, y adquirido el palacio por el Gobernador para que sirviera de mansión presidencial, en uno de los aposentos que dan sobre la calle 10 acaeció el episodio culminante de la conspiración del 25 de septiembre de 1828. Hallábase el Libertador en compañía de Manuelita Sáenz, cuando cayó en la cuenta de que los conjurados se disponían a invadir la habitación. Dispuesto a resistir con su espada, Manuelita le sugirió saltar a la calle por el balcón, lo cual hizo convencido de la ineficacia de la lucha, para refugiarse bajo el puente del Carmen. Una placa colocada en el balcón respectivo, recuerda la salvación del Padre de la Patria en la triste noche septembrina.

Sede de la Cancillería colombiana durante cuarenta años, el Palacio de san Carlos fue saqueado e incendiado durante los trágicos hechos del 9 de abril de 1948. El Gobierno Nacional lo reconstruyó sin tardanza, tratando de reproducir la antigua decoración de la noble casa. Hoy sirve nuevamente de residencia y despacho del Presidente de la República.

Parque arqueológico de San Agustín

El conjunto arqueológico más importante del país se encuentra en el

The Palace of the Inquisition

In 1610 Juan de Mañozca and Mateo de Salcedo instituted in Cartagena the Tribunal of the Holy Office, and shortly afterwards there began those nerve-racking ceremonies and proceedings which were peculiar to the Motherland. The final headquarters was a fine house with a baroque facade which is known even today as the Palace of the Inquisition.

Some very unusual cases came before the Inquisition. Such was that of the mestizo Luis Andrea, who was said to be in league with a demon called Busiraco. Such, too, was the case of the mulatress Francisca Mejía, whose witchcraft took the form of telling fortunes by the size and colour of cereals. Then there was the Dominican Juan de Segura, who consistently denied that there were women worthy of being canonized, and Fray Jerónimo Baillo, charged with having revealed, most imprudently, certain details of his former life as a soldier.

The Palace of San Carlos.

San Carlos Palace is an attractive structure, and dates from the end of the Sixteenth Century. It was the scene of four important events in the history of Colombia. First was the establishment there of an annex to the Colegio de San Bartolomé 1605-1670. Then in 1777, a high official of the Royal Audience, the Oidor Francisco Antonio Moreno y Escandón, founded in these halls the Royal Library of Santafé. Here also died the pioneer of journalism in Nueva Granada, don Manuel del Socorro Rodríguez. And, lastly, years afterwards when the Palace had be-

pueblo de San Agustín, situado en el Departamento del Huila y cerca del naciente río Magdalena.

Se trata de una antiquísima civilización que en innumerables estatuas y monumentos de piedra acusa objetivamente un singular adelanto artístico. Este sugestivo centro demográfico precolombiano ofrece interesantes analogías con otras remotas civilizaciones de la América, y con gran fundamento se considera que en él reside la clave de fundamentales problemas sobre la vida de los primitivos moradores del Continente.

La primera noticia sobre San Agustín la dio el sabio Caldas. En el siglo XX varios científicos europeos como Preuss, Rivet y Pérez de Barradas, han hecho importantes estudios tendientes a establecer el grado de cultura, los orígenes y las causas de la desaparición del pueblo agustiniano. El Instituto Arqueológico cional se ha hecho cargo de las exploraciones y de la conservación de la ciudadela escultórica.

Puente natural de Icononzo

En el municipio de Icononzo, en los límites entre Cundinamarca y Tolima, se halla un gigantesco puente natural de piedra sobre el río Sumapaz, que las aguas han abierto en el curso de los siglos. Una carretera ha aprovechado esta obra maestra de la ingeniería de la naturaleza, desde la cual y merced a la altura, el río se divisa en el fondo como delgada sierpe convulsiva.

Quinta de Bolívar

En las estribaciones del cerro de Monserrate, en Bogotá, se halla la Quinta de Bolívar, edificada a prin-

come the residence of the nation's presidents, one of the rooms overlooking what is now Tenth Street witnessed the culminating episode of the plot of the 25th September 1828.

That evening the Liberator was in the room with his mistress, Manuelita Sáenz, when he realized that the conspirators were getting ready to enter. He was for entrusting his defence to his sword, but Manuelita suggested his leaping from the balcony to the street. This he did, aware that any resistance on his part would have proved fruitless, and hid under the bridge known as the Puente del Carmen. There is a plaque on the balcony to commemorate Bolivar's lucky escape on that sad September night.

The Palace of San Carlos had housed the Ministry of Foreign Relations for forty years when it was sacked and burned in the tragic disorders of the 9th of April, 1948. It was rebuilt almost at once by the National Government and an effort was made to reproduce its pristine nobility and grace.

San Carlos is today the residence of the President of the Republic.

The Archaeological Site of San Agustín

The most important group of archaeological objects in the country is to be found at the little town of San Agustín, near the source of the Magdalena, in the Departament of Huila.

We have here a most ancient civilization expressed in countless statues and stone monuments of singular artistic merit. This centre of Pre-Columbian life and art lends itself to

cipios del siglo XIX por José Antonio Portocarrero, con jardines circundantes que miden cien varas castellanas en cuadro. El 28 de junio de 1820 el General Santander, a nombre del pueblo de Cundinamarca, ofreció a Bolívar la propiedad de esta finca, como símbolo de la gratitud nacional. El Libertador la habitó y decoró con especial deferencia, y existe constancia de que durante la campaña libertadora de Ecuador y Perú la recordaba gratamente, habiendo dispuesto que durante su ausencia se la hiciera objeto de reparaciones y mejoras. Manuela Sáenz compartió la vida apacible de la quinta, en cuyo comedor alternaron también los políticos y militares más prestigiosos de Colombia en los años de 1826 a 1830. Parece que en ella dictó el Libertador la proclama en que anunció su separación del poder.

El 28 de enero de 1830 Bolívar hizo donación de la finca a su dilecto amigo don José Antonio París, quien la conservó hasta su muerte. A lo largo del siglo XIX fue propiedad de diferentes personas; en ella murió el doctor José Félix Merizalde, insigne, propulsor de la medicina en Colombia, y funcionaron algunas juntas democráticas organizadas bajo la presidencia del General José Hilario López.

El 21 de marzo de 1919, por iniciativa de la Sociedad de Embellecimiento de Bogotá, la quinta fue proclamada monumento nacional y consagrada a la memoria de Bolívar. Las Leyes 27 de 1923 y 53 de 1919, y el Decreto número 157 de 1950, destinaron las sumas necesarias para su conservación y compra de objetos con destino a un museo bolivariano.

interesting comparisons with other remains of bygone civilizations in America, and is considered, not without reason, to be the key to fundamental problems bearing on the lives of the primitive inhabitants of the Continent.

The first news that we have about San Agustín comes to us from that inquiring savant Francisco José de Caldas. In the twentieth century several European scientists, such as Preuss, Rivet and Pérez de Barradas, have carried out important studies with a view to determining not only the degree of culture that these remains represent, but also the origin of the Augustinian people and the causes of their disappearance.

The National Archeological Institute has taken charge of the exploration and conservation of this sculptural citadel.

The Natural Bridge at Icononzo

In the municipality of Icononzo, situated on the border between the Departments of Cundinamarca and Tolima, there is a gigantic natural bridge of stone spanning the River Sumapaz, whose waters in the course of untold ages have hewn it out of the rock. A road has been constructed to take advantage of this masterpiece of Nature's engineering. From the natural bridge one may see far below the tortured course of the river shrunken by distance to the appearance of a thin writhing snake.

Bolívar's Country-seat

Among the foothills of Monserrate, and just outside the present city of Bogotá, stands the countryhouse known as the Quinta de Bolívar. Standing in its own grounds, which

Debido a una adecuada restauración, la casa y los jardines ofrecen la impresión que debieron tener en los días en que el Libertador fue su dueño. Un ambiente sosegado, un delicioso concurso de árboles y surtidores hace especialmente grata la visita. En los salones se encuentran exhibidos numerosos objetos propiedad de Bolívar o relativos a la época de la Independencia.

Quinta de San Pedro Alejandrino

A una legua de Santa Marta se encuentra la Quinta de San Pedro Alejandrino, en la cual el Libertador pasó sus últimos días y falleció cristianamente, el 17 de diciembre de 1830, asistido con soliciud por el médico francés Alejandro Próspero Révérend y rodeado por un grupo leal de compañeros de armas. Habiendo aplazado su viaje a Europa por la intensificación de sus dolencias, Bolívar decidió trasladarse de Cartagena a Santa Marta, en busca de mayor sosiego. El prócer español don Joaquín de Mier le ofreció su quinta de San Pedro Alejandrino, con el fin de que en ella encontrara condiciones propicias para el restablecimiento de su salud. En esta mansión solariega el ilustre enfermo otorgó su testamento, recibió los últimos auxilios sacramentales y dictó la más breve y gloriosa de sus proclamas, que finaliza así: "Colombianos; mis últimos votos son por la felicidad de la Patria. Si mi muerte contribuye para que cesen los partidos y se consolide la unión, yo bajaré tranquilo al sepulcro".

En la Quinta de San Pedro Alejandrino, convertida en monumento

measure a hundred Castilian yards square, it was built at the beginning of the Nineteenth Century by José Antonio Portocarrero. On the 28th of June, 1820, the property was offered to Bolívar, as a token of the nation's gratitude, by General Santander on behalf of the people of Cundinamarca. The Liberator lived in it and decorated it with special care, and remembered it, as the records prove, with grateful affection when the cause of freedom required his presence in the campaigns of Ecuador and Perú. He left instructions for certain repairs and improvements to be carried out while he was away. He shared its peace and simplicity with his beloved Manuelita Sáenz, and from 1826 to 1830 received there the most renowned statesmen and soldiers, who engaged in friendly talk around his table. It is likely that it was also in this historic country-house that the Liberator composed the proclamation announcing his relinquishment of power.

On the 28th of January, 1830, Bolívar made a gift of the property to his bosom friend Don José Antonio París, who kept possession of it till his death. It then became the property of several different persons during the Nineteenth Century. It was there that Dr. José Félix Merizalde, the illustrious promotor of medicine in Colombia, died. And it was there that various democratic councils met under the presidency of General José Hilario López

On the 21st of March, 1919, on the initiative of the Society for the Embellishment of Bogotá, this country-seat was proclaimed a national monument and dedicated to the mem-

nacional, se han tratado de conservar fielmente los objetos y muebles que usó Bolívar durante sus últimos días y que hacían parte de la casa en 1830. Una guardia permanente del Ejército de Colombia vigila este solemne santuario de la historia, en el cual arde una llama incesante, como significativo tributo de las naciones bolivarianas a su fundador y héroe máximo.

Recoleta de San Diego

Iglesia típicamente colonial, con su graciosa espadaña y su gran cruz de piedra en el jardín delantero, fue construída en 1606 por la comunidad de San Francisco en la finca Burburata, en las afueras de Santa Fé. Diversas leyendas y consejas circulan en torno a la existencia de esta Recoleta, entre ellas la del monje que, con el empeño de hacer una burla a sus compañeros de fúnebre vigilia, se cambió por el cadáver que piadosamente velaban, recibiendo como castigo una muerte repentina. La imagen venerada en este templo es Nuestra Señora del Campo, ejecutada por Juan de Cabrera para ser colocada en el pórtico de la antigua catedral. Se cuenta que una noche el Oidor Ortiz de Cervantes vio la imagen rodeada de sobrenaturales fulgores, por lo cual ordenó una capilla para que en ella recibiera culto especial.

Dos personajes rodeados por el cariño de los bogotanos están asociados a la Recoleta de San Diego: El Virrey Solís, que tomó los hábitos de San Francisco, y el Padre Almansa, venerado por el pueblo como un santo.

ory of Bolívar. Act. 53 of 1810, Act 27 of 1823 and Decree 157 of 1950 assigned sums of money for its upkeep and for the purchase of objects that were to form part of a Bolívar Museum.

As a result of a conscientious task of restoration, the house and gardens now look much as they were when the Liberator was the owner. The whole place breathes tranquility, and the trees and plashing fountains charm the eye. The rooms contain objects which bring back to us the memory either of their glorious owner himself or of the period of Independence.

Quinta de San Pedro Alejandrino

A league away from the city of Santa Marta stands the country-seat which is known as the Quinta de San Pedro Alejandrino. It was here that the Liberator lived out his last days, dying with Christian resignation on the 17th of December, 1830. He was in the care of the French doctor Alexander-Prosper Révérend and accompanied by a group of loyal brothers in arms.

When the extremity of his sufferings obliged him to desist from his voyage to Europe, Bolívar had decided to leave Cartagena for Santa Marta in search of greater repose. There the Spanish-born worthy don Joaquín de Mier put his country-estate of San Pedro Alejandrino at Bolívar's disposal, in the hope that its tranquility and salubrious air would help to restore the sick man's health. In this manor-house Simón Bolívar made his last will and testament, received the last sacraments of his religion, and dictated the last, briefest and most glorious of his pro-

Santuario de Las Lajas

Entre Ipiales y Tulcán y en una imponente profundidad del río Carchi, en las broncas inmediaciones del puente natural de Rumichaca, que en lengua quechua quiere decir "puente de Piedra", se ha levantado el Santuario de Nuestra Señora de las Lajas, en cuya iglesia se venera un cuadro pintado sobre una laja, o piedra de superficie muy tersa, y representa a Nuestra Señora con el niño en los brazos, acompañada por Santo Domingo y San Francisco. La aparición de la Virgen a una muchacha indígena de la región originó este Santuario multitudinariamente visitado durante todo el año por peregrinos de Colombia y Ecuador.

La versión de la aparición se puede resumir así: Rosa Quiñones era una adolescente sordomuda de nacimiento. Un día sorprendió a su madre con estas palabras: "Mira cómo se despeñan una bella mestiza con un mesticito en los brazos y dos mestizos a los lados". Pero María de Quiñones nada vió. Otro día el habla recobrada de su hija formuló este anuncio: "Madre, la mestiza me llama". Perdida entre las breñas, Rosa fue encontrada en una cueva, orante ante la imagen de la Virgen.

Río Vinagre

Del volcán Puracé se desprende el río Vinagre, cuyas oscuras corrientes, en vez de agua propiamente dichas, arrastran soluciones de ácido sulfúrico y muriático. La vida no existe en su seno, y a sus caudales se atribuye el que las regiones bañadas por el Cauca, en el cual desemboca, estén exentas de graves afecciones endémicas propias de aquellos climas.

clamations, ending with these words: "Colombians! My last supplications are for the welfare of our fatherland. If my death contributes to the cessation of party strife and the consolidation of the union. I shall descend to the grave in peace".

The Quinta de San Pedro Alejandrino has become a national monument, and efforts have been made to conserve with historical fidelity the objects and furniture which adorned the house towards the end of 1830, when Bolívar was its tenant. As befits a shrine of national history, it is permanently guarded by soldiers of the Colombian army, and an undying flame bears witness to the devotion professed by the Bolivarian nations to their founder and most heroic figure.

Recoleta de San Diego

The Recollect Church of St. James, called in Spanish the Recoleta de San Diego, is a typical Colonial structure, with its graceful belfry and the great stone cross in its front garden. It was built in 1606 by the community of St. Francis on the country-estate of Burburata, which then lay outside the limits of the city of Santafé de Bogotá.

Several legends and fables have been woven around the existence of this temple of the Recollects. They tell, for instance, the story of a monk who, wishing to play a prank on his brother friars at a wake, put himself in the place of the corpse around which they were keeping pious watch, and who was thereupon condignly stricken with sudden death.

Special veneration is rendered in this church to the image of Our Lady of the Field, originally executed

Salto de Tequendama

Estudiado y descrito por muchos naturalistas y cantado por José Joaquín Ortiz y Rubén Darío, a pocos kilómetros de la capital de la República se encuentra el Salto de Tequendama, formado por el río Bogotá al precipitarse a un abismo de ciento cuarenta metros de profundidad.

Dice la tradición que Bochica, el lejendario protector del pueblo chibcha al ver la Sabana convertida en un inmenso lago por causa de grandes lluvias y desbordamiento del río y torrentes, rompió con su vara la roca que por el Sur contenía las aguas, y formó la cascada que desecó la comarca, dejándole enriquecida con fértiles limos.

La Veracruz: Panteón Nacional

Esta iglesia bogotana abrumada de historia, representa especiales y sagradas memorias de la Independencia por ser la tumba de numerosos mártires de la patria, sacrificados durante el Régimen de Terror, acaecido en el lustro anterior a la liberación nacional.

La iglesia fue construída en el año 1546 y para su ampliación los monjes de San Francisco cedieron los lote contiguo en 1631. Frente a su altar mayor se celebró el primer matrimonio de Santa Fe de Bogotá, el de don Juan de Olmos con doña María de Cerezo Ortega.

Templo famoso en los días coloniales, logró su cabal desarrollo arquitectónico en 1748. Entre las reliquias más apreciadas de aquella época figuran el Cristo que San Francisco de Borja tuvo entre sus manos, en su lecho de muerte.

by Juan de Cabrera to be placed in the portico of the old Cathedral. The story goes that there it was one night seen surrounded with supernatural gleams and flashes, and the Oidor of the Audiencia Ortiz de Cervantes, who was a witness to this phenomenon, ordered a chapel to be built wherein the image of Nuestra Señora del Campo might be worthily venerated.

Two personages beloved by the people of Bogotá are associated with the Recollect Church of San Diego: the Viceroy José Solís Folch de Cardona who donned the habit of St. Francis, and good old Father Almansa, venerated by the people as a saint.

Vinegar River

The Rio Vinagre rushes down from the heights of the Volcano of Puracé. Its dark waters are laden with sulphuric and muriatic acids. No life can exist in this stream, but, on the other hand, its high chemical content is held responsible for the fact that regions bathed by the River Cauca into which it flows are free from the serious endemic diseases that would naturally afflict that sort of climate.

Salto de Tequendama

Not many miles away from the Capital of the Republic are the famous Tequendama Falls, formed by the River Bogotá at a point where its churning torrents dash into an abyss 144 meters deep.

Tradition has it that it was Bochica, the legendary lawgiver of the Chibchas, who created the falls. The savanna had been turned into an

Cuando se cumplió la Reconquista española, los Hermanos de la Santa Veracruz, integrantes de la piadosa orden sostenedora del Panteón, desempeñaron con sentido humanitario, cristiano y patriótico, la función de asistir a los condenados a muerte por los tribunales pacificadores. En esos trágicos días otro Santo Cristo de este templo se hizo presente en el consuelo de los insurgentes que marchaban hacia el patíbulo. Se trata del Cristo de los Mártires que los devotos patriotas honran con gran emoción y que preside las anuales ceremonias conmemorativas de la muerte de los próceres que ofrendaron su sangre a la libertad nacional. También esta iglesia les ofreció amplia fosa segura, aunque común, convirtiéndose así en el Panteón Nacional de Colombia.

En la Veracruz fueron enterrados: Camilo Torres, figura descollante del 20 de julio, uno de los primeros presidentes de Colombia y mente preclara que dio cauce jurídico a los anhelos revolucionarios; Francisco José de Caldas, el precoz científico y egregio director del Seminario del Nuevo Reino de Granada que contribuyó a difundir eficazmente las ideas republicanas y Antonio Villavicencio, el Comisionado Regio cuya presencia en Santa Fe motivó el banquete por cuya decoración se produjo el incidente entre los hermanos Morales y el comerciante español González Llorente.

En los últimos años la iglesia de La Veracruz ha sido felizmente restaurada, con sentido de retorno a su prístina arquitectura.

immense lake by the powerful rains and the voracious rivers which had overflowed their banks and flooded the fields. Then Bochica with his wand struck the rock which was damming up the water on the south side of the lake, and through the breach thus formed the waters rushed down in an enormous cataract, leaving the once deluged fields drained and rich with fertile slime.

Sanctuary of Las Lajas

Between Ipiales and Tulcán and at a place were the River Carchi has reached tremendous depth, near of the natural bridge of "Rumichaca" is formed, which in Quechua means "stone bridge", the Sanctuary of Our Lady of the Lajas (Flagstones) has been erected. At the church located there a picture painted on a flagstone is venerated representing Our Lady with the child in her arms, accompanied by St. Dominic and St. Francis. The apparition of the Virgin to an indigenous girl of that region originated this Sanctuary which is visited by an enormous number of pilgrims from Colombia and Ecuador throughout the year.

La Veracruz (National Pantheon)

This Bogotá church, full of colonial history, also guards sacred memorials of Independence. It is the tumb many of the country's martirs who gave their lives during the Reign of Terror, such as Camilo Torres, Francisco José de Caldas and Antonio Villavicencio.

SOLIO DE LOS VIRREYES, MUSEO NACIONAL
THRONE CANOPY OF THE VICEROYS, BOGOTA
Fot. Hernán Díaz

PALACIO DE LA INQUISICION
PALACE OF THE INQUISITION,
CARTAGENA
Fot. Hernán Díaz

EL PANTEON NACIONAL DE LA VERACRUZ
NATIONAL PANTHEON, BOGOTA
Fot. Germán Téllez. Cort. APE

QUINTA DE BOLIVAR
BOLIVAR'S RESIDENCE, BOGOTA
Fot. Germán Téllez. Cort. APE

LA CATEDRAL DE SAL DE ZIPAQUIRA
THE SALT CATHEDRAL, ZIPAQUIRA
Cort. del Banco de la República

HACIENDA YERBABUENA
Cort. del Instituto Caro y Cuervo

MUSEO NACIONAL DE BOGOTA
NATIONAL MUSEUM, BOGOTA
Fot. Germán Téllez. Cort. APE

UNIVERSIDAD DE LOS ANDES. BOGOTA
UNIVERSITY OF THE ANDES, BOGOTA
Fot. Germán Téllez

Capítulo VII

RASGOS FOLCLORICOS

La mentalidad del conquistador

EN el estudio de las costumbres y el sentimiento popular de Hispanoamérica, se debe contemplar a España con la misma necesidad con que en el génesis de un idioma romance ha de tenerse en cuenta la noble lengua latina. Dentro del panorama de la vida popular colombiana las manifestaciones auténticamente españolas, indígenas o negras, son cada vez más difíciles de determinar porque buena parte de sus costumbres, usos y creencias originales se hallan mezclados, fundidos o combinados, con la tendencia a expresarse en formas nuevas que se pudieran llamar, con toda propiedad, colombianas.

Es el factor español el que ha ejercido mayor influjo en el campo de la costumbre popular. Esto, porque indios y negros se mantuvieron en un plano pasivo y no desplazaron el vigor espiritual necesario para imponer, siquiera parcialmente a sus dominadores, una manera de pensar o de sentir.

Cuando los conquistados militarmente no poseen una cultura de alta organización, lo natural es que imi-

Chapter Seven

POPULAR CUSTOMS AND SENTIMENT

The Conquistador's Mentality

FOR the study of Latin American customs and popular tendencies, Spain must be taken into account just as the noble Latin language must be considered when a study is made of the origin of Romance languages. In Colombian everyday life, evidence of purely native Negro or Spanish character is scanty, for most of the country's original customs, habits and beliefs have been mixed, amalgamated or combined, and tend to express new forms which can rightly be called Colombian. However, the Spanish factor is that which has most influenced local customs, since in the beginning both Indians and Negroes were generally passive and did not possess sufficient spiritual vigor to impose their customs even partially on their masters.

When the vanquished in war do not possess a high cultural organization, then it is only natural that they emulate their victors by accepting new laws, a new way of life and the lessons of the ruling mentality. Such was the case of the indigenes and Negroes, and particularly so of the

ten a sus vencedores, aceptando sus leyes, adaptándose a su manera de vivir y aprendiendo la cotidiana lección de la gente victoriosa. Tal fue el caso de indígenas y negros, y singularmente de los mestizos que, en fuerza de las circunstancias, comenzaron a obrar como los españoles, continuaron pensando como los españoles y terminaron sintiendo como españoles.

La leyenda, la canción, la música y la danza, elementos artísticos de la costumbre popular y bases del folclor, han evolucionado en Colombia al ritmo del mestizaje progresivo.

Ejemplos de influjo hispánico

Una costumbre española conservada con relativa pureza es la representación que en numerosos municipios del país se efectúa el 6 de enero y consistente en el diálogo bíblico que sostienen importantes personajes lugareños vestidos de Reyes Magos. Esta ingenua escena no es otra cosa que la nítida expresión del *Misterio de los tres reyes d'Orient,* considerado como uno de los más preciosos elementos dramáticos de la Edad Media, precursores del teatro español del Siglo de Oro y singularmente del Auto Sacramental.

Otra costumbre hispánica es el festival que con motivo de la muerte de un niño aún se organiza en algunos sectores rurales del interior del país, a pesar de la prohibición de los curas de almas. Emparentada con la del velorio en los Llanos y considerada bárbara y proveniente de la oscura mentalidad indígena, sigue, sin embargo, una definida tradición ibérica. Al efecto, en España se solía festejar el fallecimiento de

mestizos, who by force of circumstance began to act like the Spaniards, came to think like the Spaniards, and finally ended up by feeling like Spaniards.

Legend, song, music and dance, which are the artistic elements of local customs and the basis of national folklore, have evolved in Colombia at the same rate as the racial intermingling.

Examples of Spanish Influence

A Spanish tradition which has been maintained with relative purity is to be found in the performance given in many of the country's municipalities on the sixth of January. It consists of a Biblical dialogue between important local persons dressed up to represent the Wise Men. This naive scene is clearly an expression of the "Mystery of the Three Wise Men from the East", held to be one of the most valuable of those dramatic elements of the Middle Ages which were forerunners of the Spanish theatre of the Golden Age and particulary of the religious play.

Another Spanish custom is the festival organized on the death of a child. It is still practised in some of the interior rural districts, in spite of the express prohibition of the priests. Related to the "death watch" of the Llanos, and often considered to be a heathen outcrop of the obscure Indian mentality, this is, nevertheless, a definite Spanish tradition. Indeed, in Spain a child's death used to be celebrated with dancing and feasting, especially in the Province of Alicante, where such ocur-

un niño con danzas y banquetes, especialmente en la Provincia de Alicante, en donde tales episodios llegaron a ser tan notables que dejaron honda huella en la historia de la coreografía peninsular.

Incontables son los casos en que los elementos españoles aparecen deformados por la mentalidad indígena. Tal sucede con los episodios bíblicos que fueron enseñados por los curas doctrineros y que los indígenas utilizan como base de sugestivas leyendas. En la región de Machetá (Cundinamarca) se cuenta que, hace muchos años, un indio se dirigió al mercado de tierra fría, con su pequeño hijo a cuestas. Sorprendido por la noche, no quiso esperar la aurora para atravesar el río y, seguro de su valor, exclamó impíamente:

Amanezca o no amanezca,
me voy a tocar a Suesca.

Inmediatamente, él y su tierna carga quedaron convertidos en las piedras que con el nombre de "El Cacique y su Hijo" se ven en el centro del río Salitre, y que fácilmente, evocan la versión de la mujer de Lot convertida en estatua de sal.

Otra leyenda de la misma región se refiere a la apuesta que San Pedro y Satanás hicieron, con el fin de comprobar cuál de los dos, antes del tercer canto del gallo, construía el puente que los campesinos nunca pudieron tender sobre una quebrada de arrebatadas aguas. El apóstol fue al monte y escogió algunas vigas para ejecutar una modesta y rápida labor; su adversario se dirigió a las altas rocas que coronan el valle, seguro de realizar un soberbio trabajo que desafiara la furia de las crecientes.

rences became so noteworthy that they left a deep impression on the history of the Peninsula's choreography.

There are innumerable cases in which the Spanish element appears to be deformed by the indigenous mentality. This occurs with the Bible episodes which had been taught by catechist priests and which the indigenes used as a basis for some interesting versions. For instance in the Machetá district of Cundinamarca they tell the story of an Indian who, a long, long time ago, was on his way to market on the cold uplands. Though he was carrying his little son on his back, he did not wish to rest when night fell. Instead of waiting for dawn before crossing the river, he exclaimed with impious self-confidence:

Whether day breaks or not
I am going to reach Suesca.

Suddenly the Indian and his son were turned to stone. They are, in fact, to be seen today in the form of the famous stones, called "The Cacique and his Son", which stand in the middle of the Río Salitre. Evidently, this legend is a version of the story of Lot's Wife, who was turned into a pillar of salt.

Another legend belonging to the same region recounts a bet made by Saint Peter and Satan in order to prove which of the two, before the third crowing of the cock, could perform a task at which the local peasants had repeatedly failed, that is, building a bridge to span the raging torrent of a certain canyon. The Apostle went to the woods to fetch some logs and beams for a quick,

Cuando Lucifer se disponía a culminar su obra se oyó el tercer canto del gallo, por lo cual huyó iracundo dejando desencajado sobre el abismo un bloque enorme en forma de gigantesco púlpito. Es esta, desfigurada y adaptada al ambiente campesino, la historia de la negación de San Pedro en el atrio del palacio de Caifás.

Tendencias negras e indígenas

El acuerdo de tendencias negras e indígenas se encuentra frecuentemente en el folclor nacional. La imaginación del africano y la fantasía del indio aborigen se confundieron en una mentalidad supersticiosa que ha dejado en las leyendas dos tenebrosos personajes de pasos tenues y lívido rostro que, además de guardar el entierro de los viejos avaros y defender la huaca codiciada, llevan el embrujo a ciertos parajes. Esas mismas supersticiones crearon la inclinación de los campesinos a atribuír a algunas personas el poder de alterar un delicado manjar con solo mirarlo, o de apergaminar un rosado infante con exponerlo al alcance de su sombra.

Esta mentalidad supersticiosa recobró mayor fuerza en todo lo relacionado con los fenómenos del agua. Para el indio no había quebrada sin "mohán" o duende de los cauces, que desataba las crecientes y se apoderaba de las mujeres que despertaban sus amorosas ansias, suscitándoles desmayo. Para el negro no había profundidad sin secreto, ni río sin seres de dolientes metamorfosis. Los viejos bogas temían al hombre-caimán, huían del remolino que cantaba, y para conjurar las inundaciones se internaban con los símbolos de su

modest job of work. His adversary scaled the beetling crags which frowned over the valley, for he was confident that in the given time he could raise a lofty structure which should defy the power of the angry waters. When Lucifer had almost finished, he heard the third cockcrow, and in baffled rage fled away, leaving an enormous tottering block of stone, pulpit-shaped, over the chasm. This, clearly, is an adapted and disfigured peasant version of Saint Peter's denial of Christ in the courtyard of Caiaphas' palace.

Negro and Indigenous Tendencies

A harmony of Negro and indigenous tendencies is often found in the national folklore. African imagination and indigenous fantasy have mixed themselves into a superstitious mentality, creating legends of light-footed and livid-faced beings who, besides keeping grim watch over burial of old skinflints and defending the much coveted Indian grave-treasures, haunt many places with their mystery and magic. This sort of superstition accounts for the peasant's inclination to attribute to certain people the power of altering a tasty dish just by looking at it or of shrivelling up a rosy baby who happens to lie within reach of their shadow.

Negro and Indian superstition has concentrated on all matters relating to water. To the Indian there was no mountain stream without its water-fairy (mohán) or river-bed elf, who would let loose a flood or carry off any woman who aroused his ardent desires, causing her first to faint. For the Negro there was no abyss without a secret, no river

fe en lo profundo de las aguas, revelando así, alguna semejanza con el famoso rito chibcha de la laguna de Guatavita.

Leyendas y cuentos

Entre las leyendas de tesoros sepultados, o en alguna forma reminiscente del mito de El Dorado, es muy famosa la que hace referencia a un venado de oro de tamaño natural, forjado por artífices indígenas que, por salvarlo de los conquistadores, lo escondieron en una cueva del cerro de Guadalupe, en Santa Fe de Bogotá.

Cierto portugués aventurero, que en la noche acudía a la ventana de una hermosa, con el ánimo de seducirla, encontró la ira y la espada del angustiado padre. Cumplido el duelo, sin más testigo que la atribulada doncella, el anciano hidalgo cayó moribundo. El portugués huyó para refugiarse en los cerros vecinos de Bogotá, en donde al tratar de guarecerse de la lluvia, dio con un antro disimulado por la maleza, en cuyo interior descubrió el fúlgido venado.

Convencido de que para escapar a la justicia no podría permanecer oculto indefinidamente, al amanecer abandonó la cueva, no sin antes llevarse los cuernos del animal fabuloso y clavar su espada como señal, para volver algún día a recobrar el tesoro.

Después de vagar varios años por las Indias regresó a Santa Fe, convencido de que ya nadie recordaba su delito. Pero el mismo día de su llegada, y en tortuosa callejuela, el hidalgo a quien creía muerto, lo atravesó con su acero, a los gritos de "venganza de mi agravio". En lo sucesivo nadie pudo hallar ni la es-

without souls in painful metamorphosis. The old paddlers feared the man-alligator, fled from the singing whirlpool, and to ward off floods would enter into the deepest waters with the symbols of their faith, displaying a certain likeness to the famous Chibcha rite of the Lagoon of Guatavita.

Legends and tales

The most suggestive of the Colonial legends deals with a life-size golden stag wrought by indigenous craftsmen. In order to save it from falling into the hands of the Conquistadors, the Indians took it to the Heights of Guadalupe, above Bogotá, and there concealed it.

A certain Portuguese adventurer, who at night used to haunt a young belle's window with a mind to seducing her, was surprised by the anger and sword of the anxious father. After a duel, with only the afflicted damsel as witness, the old nobleman fell expiring to the ground. The Portuguese fled and sought refuge in the nearby hills surrounding Bogotá, where, on trying to find shelter from the rain, he came across a cavern hidden by the underbrush. Inside he discovered the resplendent stag.

Convinced that if he wished to escape justice he could not remain concealed indefinitely, he left the cavern at dawn but not without taking with him the fabulous animal's antlers and leaving behind his sword as a landmark so as to return some day to recover the treasure.

After wandering about the Spanish Main for several years, he returned to Santa Fé, convinced that nobody would remember his crime.

pada ni el antro. Y del venado sólo permanece el fulgor de su leyenda.

Los cuentos de animales

En casi todo el país, pero especialmente en las regiones del Chocó y Valledupar, es muy frecuente oir los cuentos populares con animales protagonistas, en los que Tío Conejo y Tío Tigre se encuentran en eterna contradicción. Un ejemplo es el que ha recolectado en la zona vallenata el doctor Enrique Pérez Arbeláez, y que hace referencia a Tío Tigre, que víctima de las artimañas del Conejo es cabalgado y sometido a la infamia de las espuelas. El texto da cuenta de la desconcertante conclusión, en la que, naturalmente, siempre triunfa el Conejo.

"Este es mi caballo! Mírenlo cómo trota, cómo brinca, cómo corre, cómo galopa", y Tío Tigre "fregado" toda la noche, con Conejo encima, tomando trago y él aguantando espuela. A la mañana, Tío Tigre tenía la jeta torcida con el freno y las narices aplastadas de dar contra los postes. Pero Conejo le dijo: "A este no lo suelto porque me busca y me come". Determinó venderlo y se fue a un trapiche.

—Buenos días, señor Eulogio. Le vendo este buey ñato que es muy buen molendero.

Trato hecho. Pusieron al tigre a moler caña. Molió y molió, hasta que enflaqueció y quedó todo encogido y decaído. Entonces, por inútil, lo soltaron y se fue al monte el buey ñato de don Eulogio.

Pasaron meses. Tío Tigre se repuso y siempre le preocupaba la idea de vengarse de Conejo. Un día

But on the very day of his arrival, while he was walking up a winding back-street, he was met by the nobleman he thought dead. The old man instantly pierced him with his sword, crying. "Thus I avenge my wrong". Thereafter, no one could find the sword or the cave. As to the stag, only the gleam of its legend remains.

Animal Stories

In most parts of the country, but especially in the regions of Chocó and Valledupar, one frequently hears popular stories about animals. The chief protagonists are Uncle Rabbit and Uncle Tiger, who are always at odds. One of these stories, recorded in the Vallenata area by Dr. Enrique Pérez Arbeláez, tells about Uncle Tiger, tricked by the wiles of Uncle Rabbit who mounts the tiger and subjects him to the indignity of bridle and spurs. Here is the rather unusual conclusion of the story, in which as always, Uncle Rabbit triumphs:

"This is my horse. Look how he trots, how he jumps, how he runs and gallops". Uncle Tiger is battered about all night with the rabbit astride spurring all the time. In the morning Uncle Tiger's jaws are twisted from the bridle and his nose is raw from bumping into tree trunks. But Rabbit says: "I'm not going to turn him loose, because if I do he'll eat me up". So he decides to sell him, and goes to a sugar mill.

"Good morning, señor Eulogio. I'll sell you this pug-nosed ox, very good for the grinding wheel".

The sale is made. They put Tiger

sobrevino la gran inundación. Tío Tigre vio una islita y dijo:

—Allá sin duda habrá quedado algún animal que yo pueda comer. Tengo hambre.

El que llega a la isla, y se encuentra con Conejo, atrapado allá por la inundación.

—Ahora me las pagas todas —dijo Tío Tigre—; me montaste, me maltrataste, me esclavizaste.

—Pues. . . tienes razón, tío, me doy por culpable. Merezco castigo. Debo morir. Pero antes de morir déjeme subir a este árbol y dar un grito a mis parientes para que sepan que me voy a morir. Esta es la súplica de un sentenciado a muerte. Ellos viven allá no más, al otro lado del caño y hasta le pueden servir.

—Bueno —dijo Tío Tigre—. Despídase aprisa que tengo hambre y la boca se me vuelve agua.

Conejo subió al palo y ya "encarapitado" en lo alto gritó: !"Señor Eulogio, señor Eulooogio! Que venga acá a la isla por el buey ñaaaato! Que se le escapó y ya está bueeeno!

Al Tío Tigre le faltó tiempo para escapar. "A estas horas ya está llegando a la Serranía de los Murciélagos".

Fiestas Regionales

Entre las fiestas y ceremonias regionales, sustentadas por una notable tradición, se pueden citar, como las más representativas, las siguientes:

El San Juan

Es la fiesta oficial del Tolima. El 24 de junio se llevan a cabo en los municipios de la llanura originales programas de música, danza y otros aspectos de gran interés folclórico. En la plaza parroquial, que un rústico

to work grinding sugar cane. Around and around he goes on the grinding wheel, until he gets very thin, very weak, a sad wreck. Then, because he is useless, they set him free, and off to the hills goes Don Eulogio's pug-nosed ox.

Months pass. Uncle Tiger gets his strength back, and always he is thinking of how he can get even with Rabbit. One day a great flood comes. Uncle Tiger sees a small island, and says, "Certainly some animal must be there that I can eat. I'm hungry".

He gets to the island, and finds Rabbit trapped there by the flood. "Now you 'll pay me back for everything", says Uncle Tiger. You rode on my back, you mistreated me, you made a slave out of me".

"Well... you're right, Uncle. I admit I was to blame. I deserve to be punished. I deserve to die. But before I die, let me climb up this tree and yell to my relatives to tell them I'm about to die. This is the last wish of a doomed man. They live just over there, on the other side of the river. They might even be of some use to you".

"All right", says Uncle Tiger. "But hurry up, because I'm hungry and my mouth is watering".

Rabbit climbs up the tree, and when he is perched on the highest branch, he shouts, "Señor Eulogio, señor Eulogio. Come here to the island to get your pug-nosed ox. He got away from you, and he's all right again".

Uncle Tiger barely has time to get away. Right now he's running toward the forest on the Firefly mountains".

cerco habilita de circo, se efectúa el toreo o corrida criolla, rica en valerosos desplantes. En las calles y bajo pintorescos toldos se sirven las bebidas regionales, se baila el bunde, el bambuco y la guabina y, en dispersos corros, orquestas nativas ofrecen a los trovadores llaneros oportunidad de ingeniosos tiroteos de coplas. En Natagaima y otros municipios de tradición indígena se representan sugestivos y vistosos números de danzas aborígenes.

El San Pedro

También fiesta del Tolima, tiene análogas manifestaciones en numerosos distritos de Cundinamarca y Santander. Bailes, coplas y comidas son la base del programa, que termina con un torneo a caballo, cuyo objeto es descabezar el gallo simbólico que pende de un alto trapecio. Una copla popular indica la importancia que para el tolimense tienen las dos fiestas que se acaban de referir:

"El 24 San Juan
y el 29 San Pedro;
estas las fiestas reales
que celebran en el cielo".

Fiesta del Maíz

Se celebra en Antioquia, y de modo especial en el Municipio de Sonsón. Se inicia con una galante lid, que culmina con la elección de la reina de la cosecha y se manifiesta principalmente en regocijos populares y en una espléndida exposición de productos agrícolas.

11 de Noviembre

Fiesta característica de Cartagena, está destinada al recuerdo de la proclamación de la independencia ab-

Regional Festivals

Among the regional festivals and ceremonies fostered by strong tradition, the following may be mentioned as being the most representative.

San Juan

St. John's Day is the official festival in Tolima. In the municipalities of the Tolima Plains, on the 24th of June, original musical and dance programs, as well as other attractions of folklore interest, may be observed. In the church square, transformed into a circus by means of a primitive fence, there is held a local bullfight, characterized by feats of daring. Regional dishes and drinks are served under colorful awnings set up in the streets. The *bunde, bambuco* and *guabina* are danced; and local orchestras, posted at different points, give the troubadours from the plains the chance to invent ingenious exchanges of coplas, Calypso-fashion. In Natagaima and other municipalities with an indigenous tradition, suggestive and colorful aboriginal dances are held.

San Pedro

St. Peter's Day is also a festival in the Tolima region and has counterparts in numerous districts of Cundinamarca and Santander. Dances, coplas and feasting are the main items of the program, which ends with a tournament on horseback, the aim of which is to behead a symbolic cock hanging from a high crossbar.

The Maize Festival

This is held in the Antioquia region and especially in the town of Sonsón. A beauty contest starts off

soluta. La ciudad se musicaliza por varios días; en parques, plazas y calles, se baila el porro, el fandango y la cumbia; aparecen en abrumadora abundancia los manjares del mar y de la llanura, y en la noche hay juegos de artificios y serenatas animadas por la graciosa gaita costeña y la maraca, de cariñoso ritmo.

La Candelaria

El 3 de febrero se efectúa esta otra hermosa fiesta cartagenera, dedicada a honrar a la Virgen de la Candelaria, Patrona de la ciudad, que tiene su Santuario en la cima del cerro de La Popa. En la noche de la víspera, los devotos suben a la iglesia, para bajar con la procesión de la mañana. Terminada la ceremonia religiosa, se inician programas populares, análogos a los del 11 de noviembre.

8 *de Diciembre*

Esta fiesta, de exclusivo carácter religioso, tiene honda raigambre en los departamentos del interior, especialmente Cundinamarca, Boyacá y Santander. En la noche del 7 de diciembre, los labriegos prenden fogatas en los sitios eminentes de sus heredades, con el propósito de poblar de luces la campiña y, al alba, izan unánimes la bandera azul y blanca de la Inmaculada Concepción.

Carnaval de Barranquilla

Se efectúa en los días anteriores al Miércoles de Ceniza y, en razón de su orden, su alegría y su magnificencia, corresponden al ánimo festivo y al espíritu público de los barranquilleros. Preside el carnaval una graciosa muchacha elegida en hidalgo

the festival, which ends with the election of the Harvest Queen. Popular merriment blends with practical interest in an exhibition of agricultural products.

November 11th

The Eleventh of November is a characteristic festival in Cartagena, and is held in memory of the final proclamation of Independence. For several days there is music everywhere in the city; in parks, on the beaches and in the streets, the *porro* the *fandango* and the *cumbia* are dance; land and sea foods are consumed in startling quantities, and at night there are fireworks and serenades enlivened by the flageolet or the amusing hurdygurdy of the Coast and the softly rhythmical maracas.

Candelaria

Candelmas, Cartagena's beautiful festival, is held on the 2nd. of February in honour of the Purification of the Virgin Mary, the city's patron saint, whose sanctuary stands at the top of La Popa hill. On Candelmas Eve the pious make their way to the church and return with the procession the following morning. When the religious ceremony is over, the popular programs begin, similar to those held on the 11th of November.

The Immaculate Conception

This festival, which takes place on the 8th of December, is exclusively of a religious nature, and is deep-rooted in the departments of the hinterland, especially in Cundinamarca, Boyacá and Santander. On

debate, y son números sobresalientes la velada de coronación, los concursos de disfraces y la batalla de las flores. Famosos son los bailes del "garabato" y del "torito" que en esta oportunidad ejecutan comparsas sugestivamente ataviadas.

Feria de Manizales

En la última semana de enero se efectúa este espléndido certamen de vitalidad económica y alegría cívica, en el cual tienen cabida importantes concursos deportivos y de arte popular. Por entonces se elige allí la Reina Americana del Café, se premian las composiciones musicales de mayor éxito en el país y se presentan dos eventos del más contrastado origen y la más apartada tradición: corridas de toros, con matadores de fama universal y competencias internacionales de esquí en las pistas del cercano Nevado del Ruiz.

Feria de Cali

Al iniciarse el año, Cali se entrega por entero a las festividades de la Feria, con un programa espléndido, de recreación popular y de actividades culturales que culmina con la elección de la Reina Internacional de la Caña de Azúcar.

Fiesta de la Santa Patrona

El Santuario de la Virgen de Chiquinquirá, Patrona de Colombia, es uno de los más famosos de la América, y durante todo el año a él se dirigen millares de peregrinos de Colombia, Ecuador y Venezuela. El 7 de octubre, día de Nuestra Señora del Rosario, Chiquinquirá recibe inmensas muchedumbres de romeros que, a pie, por ferrocarril o carretera, llegan de las más remotas comar-

the night of the 7th of December, the peasants light bonfires on the highest points of their farms, in order to festoon the countryside with lights, and at dawn they unanimously hoist the blue and white flag of the Immaculate Conception.

The Barranquilla Carnival

This is held in the days immediately prior to Ash Wednesday, each day having its special importance. The festive spirit of Barranquilla then has full play. A lovely girl, fairly elected, leads the carnival, and among the outstanding events are the evening of the coronation, the fancydress contests and the battle of flowers. The *garabato* and *torito* are famous dances played at this time by colorfully dressed bands.

Festival of the National Patron Saint

The Sanctuary of the Virgin of Chiquinquirá, Patron Saint of Colombia, is one of the most famous in America, and every year thousands of pilgrims from Ecuador, Venezuela and Colombia assemble there. On the 7th of October, the day of Our Lady of the Rosary, Chiquinquirá is flooded with enormous crowds of pilgrims who come by railways or road from the remotest regions to redeem their vows to the Virgin. The religious ceremonies are impressively solemn, and the popular programs are well known for the interesting musical contests among bands hailing from different parts of the country to compete in the squares and streets of the town.

There is an interesting old tradition concerning the picture of the

cas a cumplir sus promesas a la Virgen. Las ceremonias religiosas son de impresionante solemnidad, y los programas populares se distinguen por las interesantes competencias musicales entre los conjuntos típicos de las diversas regiones del país que en plazas y calles se congregan.

Sobre el cuadro de la Virgen de Chiquinquirá, corre la siguiente tradición: Hacia 1560, Alonso de Narváez pintó sobre una tela, producto de indígena taller, un grupo beatífico, con la Virgen del Rosario al centro, San Antonio y San Andrés a los lados.

Colocada la pintura en humilde capilla cerca de Suta, no tardó en quedar completamente arruinada debido a la caída del techo. Llevada a la casa cural de Chiquinquirá, durante mucho tiempo permaneció olvidada en el oscuro aposento de las cosas inútiles. Allí la encontró María Ramos, una lavandera, quien no obstante los colores perdidos y las figuras borradas, la sencilla mujer llevó a rústico oratorio, para rendirle fervoroso culto personal de cirios y flores.

El 26 de diciembre de 1586, cuando la piadosa María se encontraba en oración, un maravilloso resplandor inundó el cuadro, y al extinguirse, aparecieron las imágenes y los detalles cromáticos, con la misma limpieza del día en que Alonso de Narváez lo dio por ejecutado.

La noticia de la milagrosa restauración se difundió por todas las tierras del Nuevo Reino y en 1636, los padres dominicos fundaron un espléndido santuario en el cual fue intronizado el lienzo, bajo la advocación de Nuestra Señora de Chiquinquirá.

Virgin of Chiquinquirá. About 1560, Alonso de Narváez painted on a cloth made by indigenous artisans a picture of the Virgin of the Rosary with St. Anthony and St. Andrew on either side.

Hardly had the painting been placed in the humble chapel near Suta when it was completely ruined when the ceiling fell in. It was taken to the house of the parish priest of Chiquinquirá, where it remained a long time forgotten in a storage room for cast-off articles. It was found there by a washerwoman, María Ramos. In spite of the fact that its colors were lost and the figures half-effaced, this simple woman took it to a small country shrine and placed candles and flowers around it.

On December 26, 1586, when the pious María was in prayer, a marvelous light shone over the picture, and when the light had faded the figures and colors reappeared with the same clarity as on the day Alonso de Narváez finished the work.

New of the miraculous restoration spread throughout the New Kingdom, and in 1636 the Dominican fathers built a splendid sanctuary in which the painting was enthroned, under the title of Our Lady of Chiquinquirá.

Manizales Fair

This splendid show of economic vitality and civic gaiety is held in the last week of January and includes contests of sport and popular art. The Coffee Queen of America is elected, awards are given for the most successful musical compositions in the country and there are two events of the most contrasting origin and

Semana Santa en Popayán

Es la más auténtica expresión de la tradición viva de España en tierra de Colombia. La ciudad, magnífico ejemplo de arquitectura colonial y claro aposento de glorias nacionales, ofrece singular atmósfera a las solemnes procesiones de Semana Santa. Los pesados pasos son llevados por los miembros de las órdenes payanesas que secularmente se han conservado con sentido caballeresco para el piadoso objeto, y las figuras de la Pasión, pertenecientes a la ilustre imaginería española de los siglos XVII y XVIII, aparecen abrumadas por joyas y bordados.

Durante la celebración de la Semana Santa en Popayán, se registró uno de los episodios más significativos del respeto por las nobles tradiciones de que pueda enorgullecerse una ciudad de América, a la vez hermosamente revelador de cuán celosamente se han practicado en Colombia la protección al perseguido y el asilo a quien lo ha de menester.

El General José María Obando, una dramática figura de la historia colombiana, famoso por la belleza varonil, por la inteligencia guerrillera y el destino trágico, había declarado la rebelión contra el gobierno y como tal se hallaba hostilizado y perseguido por las fuerzas oficiales que dominaban la ciudad y que teníán la consigna de vencerlo y capturarlo. No obstante estas críticas circunstancias, el jefe rebelde decidió ocupar su puesto como carguero del paso de Nuestra Señora de los Dolores, en la procesión correspondiente al Viernes Santo.

Las órdenes de los cargueros de los pasos tradicionales de la Semana

tradition: bullfights with world famous matadors and international ski competitions on the slopes of the neighbouring Nevado del Ruiz.

Holy Week in Popayán

This is the most authentic expression of a living Spanish tradition on Colombian soil. The city is a splendid example of Colonial architecture, a treasury of history and tradition, and offers an exceptional atmosphere of dignity for the solemn Holy Week processions. The heavy statues that represent the Stations of the Cross are borne aloft by members of the secular orders of Popayán, which have been maintained through hundreds of years with stately pride; and the images of the Holy Passion belonging to the illustrious Spanish statuary of the XVII and XVIII Centuries, are laden with jewels and embroideries.

During one Holy Week celebration in Popayán there occurred an episode which demonstrates the sort of respect for tradition of which a city can justly be proud, an episode which also shows how Colombia has honored the principle of protection of the persecuted and the right of asylum.

General José María Obando, a striking figure of Colombian history, famed for his manly beauty, his brilliance in war, and his tragic destiny, had declared himself in revolt against the government; he was being hunted by the officials controlling the city, who had orders to find him and take him prisoner. In spite of this, the rebel chief decided to take his regular place as one of the bearers of the statue of

Santa en Popayán, están constituídas por hombres de hidalgo arraigo en la ciudad y sus reglas son seguidas con lealtad y decisión. Soportar el agobiador peso del paso en las procesiones, bajo un oscuro capuchón representa un amable deber; no estar presente con el espíritu y el hombro listos, es faltar a una cita de honor.

Aquel Viernes Santo se iniciaba la procesión con la vacante del famoso revolucionario en el paso de la Madre de Cristo, cuando de improviso, un encapuchado la ocupó. No se tardó en reconocer al propio General Obando bajo las vestiduras del carguero penitente. La sorpresa y la expectativa se apoderaron de todo Popayán que, admirando el amor y la fidelidad de aquel hombre por las obligaciones caballerescas impuestas por la tradición, consideraban que temerariamente se había puesto en manos de sus enemigos.

Pero la contraparte, igualmente respetuosa de la tradición, comprendió que aquel hombre había buscado en día tan memorioso el asilo de Dios. Y así, las cuatro horas de la procesión transcurrieron sin que el General Obando fuese molestado y al final de ella, pudo tomar su caballo para retirarse a sus incógnitos cuarteles, sin que un solo sable se lo impidiera.

Música, canciones y danzas populares

Con numerosos e importantes autores cuenta la historia de la música colombiana, cuya obra, que comienza a ser difundida debidamente entre propios y extraños, va cobrando justo aprecio en razón de sus va-

Our Lady of Sorrows in the Good Friday procession.

The groups of bearers of the traditional Holy Week statues in Popayán are made up of men of the highest social standing in the city, and the rules imposed by these groups are followed loyally and exactly. To carry the heavy weight of a statue in the procession, wearing a dark hooded cloak, was a labor of love; not to be present, with spirit and shoulders ready, was to fail a debt of honor. That particular Good Friday the procession began with the place of the famous revolutionary vacant. Suddenly a hooded figure stepped into the place. Everyone quickly recognized General Obando himself under the penitential cloak. Surprise and expectation ran through all Popayán, and admiration for the fidelity of the man to the noble obligations imposed by tradition, which had made him put himself at the mercy of his enemies.

But his enemies, equally respectful of tradition, understood that on such a day the man had a claim to the divine right of sanctuary. And so the four hours of the procession passed without General Obando being molested, and at the end he was permitted to mount his horse and return to his secret hideaway, without a sword being raised to stop him.

Popular Music, Copla and Dance

The history of Colombian music includes many important figures whose work, only now coming into recognition in our country and abroad, is receiving the praise it justly

lores de todo orden. Desde los días de la colonia, en que aparece la interesante figura del maestro de capilla don Juan Herrera y Chumacero, hasta la época presente, con sinfonistas tan meritorios y fecundos como Guillermo Uribe Holguín, la música culta presenta una nómina ilustre de rapsodas, de compositores de vastos conocimientos y elevada inspiración, de notables representantes de movimientos universales del sentimiento popular.

La música popular colombiana, como la de todas las naciones hispanoamericanas, es, en esencia, española, modificada por diversos factores del medio nacional. Teñida de indígena melancolía en las regiones andinas, especialmente en los altos parajes de Cundinamarca, Boyacá, Nariño, y penetrada de la vitalidad rítmica característica de las composiciones de las tierras planas de América (Llanos de Oriente, Bolívar y Tolima), sigue la dirección afroantillana en las costas del Caribe y en las ardientes comarcas en donde el negro ejerció influjo artístico.

Música Aborigen

Corresponde a las remotas manifestaciones de los diferentes grupos humanos que poblaban el país en la época de la Conquista, y que sólo subsisten en la forma de influencias sentimentales dentro de la actual música popular. En este arte, eran los chibchas, los indígenas más adelantados. Muchas de sus ceremonias religiosas y guerreras, requerían la intervención de originales orquestas, integradas principalmente por fotutus, flautas, tambores, sonajas y caracoles. También cultivaban el can-

deserves. But from the colonial era, with such interesting figures as the chapel master Don Juan Herrera y Chumacero, to modern times, with a composer as productive as Guillermo Uribe Holguín, musical culture in Colombia has an illustrious list of performers and composers of wide attainment and high inspiration, noteworthy representatives of universal expressions of popular feeling.

Colombian popular music, like that of all the other Latin-American nations, is essentially Spanish music modified by diverse factors of the national environment with character. This music is tinged with indigenous melancholy in the Andean regions, especially in the highlands of Cundinamarca, Boyacá and Nariño, yet having something, too, of the rhythmic vitality characteristic of the lowlands. The music of the Eastern Plains, Bolívar and Tolima, follows the course of the Afro-Antillian tunes of the Caribbean shores and the other hot low-lying regions where the artistic influence of the Negro has left its mark.

Aboriginal Music

The various indigenous groups that populated the country in the times of the Conquest had their own types of music, which have persisted only in the form of certain strains of feeling in current popular music. Many of their religious and war ceremonies used orchestras, composed principally of flutes, drums, tambourines, conches and fotutos. Singing was also developed, and the early chroniclers speak of certain melancholy songs, similar to the Spanish

to, y los cronistas dan cuenta de ciertas melancólicas endechas, parecidas a los villancicos españoles, encaminados a rememorar episodios de la tradición nacional. A la música aborigen pertenecen, igualmente, las expresiones de los pequeños grupos indígenas que aún viven en las márgenes de los grandes ríos del Sur y del Este de Colombia.

Música Mestiza

Integrada en su mayor parte por la contribución española y singularizada por los modos melódicos y rítmicos de criollos, indígenas y negros, se manifiesta en sesenta y siete especies principales.

Debido a su vigencia y generosidad, las especies más conocidas son:

Costa Atlántica

Cumbia
Mapalé
Porro
Merengue
Paseo
Fandango
Puya
Garabato o danza carnavalesca
Bullerengue
Danzón.

La canción laboral de la zafra está muy generalizada. En la región de Valledupar, donde el folclor es tan rico, sobresale, entre muchos géneros originales, el *Vallenato,* cuyas sugestivas letras y músicas se han extendido por todo el país.

Costa Pacífica:

Currulao
Juga
Bunde.

villancicos, that commemorated episodes of tribal tradition. Some forms of aboriginal music can be heard among the small indigenous groups still living along the rivers of southern Colombia and in the eastern part of the country.

Popular Music

The dominant element in Colombian popular music is Spanish, but modified by the melodies and rhythms of the creoles, Indians and negroes. There are some sixty-seven principal varieties of this popular music.

The best known types, because of their long history and their quantity, are the following: from the Atlantic Coast, the *cumbia, mapalé, porro, merengue, paseo, fandango, puya, garabato* (the carnival dance), *bullerengue* and *danzón.* The work song called the *zafra* is very widespread. From the Pacific Coast are the *currulao, juga* and *bunde.* These principal types have many sub-varieties. In the Chocó area we still hear today, in their pristine integrity, the *contradanza,* the ancient *bambuco,* and the *passacaglia.* There is also the *maquerule,* a precious Negro Indian heritage. Other types of great folkloric interest are the *pango* and the *jota.* Among examples of poetry set to music, there exist a number of ballads, mostly of Spanish origin, and religious songs such as the *alabados, trisagios,* and *gualíes.* In the Barbacoas region the burial of a child is solemnized with a type of song called "chigualos". In the Andes regions we find the *bambuco, guabina, torbellino, pasillo, tres, monos, cañas, mejoranas, bunde, paso-*

Estos géneros se dividen en numerosas especies. En el Chocó se encuentran todavía en su integridad la contradanza, el bambuco viejo y el pasacalle, en tanto que el maquerule es preciosa manifestación negro-indígena. Otras especies de gran interés folclórico son el pango y la jota. Como manifestaciones de la poesía cantada en lo profano, existenten numerosos romances de procedencia española en su mayoría y canciones de inspiración religiosa como los alabados, los trisagios y los gualíes. En la región de Barbacoas el entierro de un niño es solemnizado con chigualos.

Regiones Andinas:

Bambuco
Guabina
Torbellino
Pasillo
Tres
Monos
Cañas
Mejoranas
Bunde
Pasodoble
Danza.

Llanos Orientales:

Joropo
Galerón
Carnaval
Seis por Numeración
Seis por Derecho
Seis Numerado
Zumba que Zumba.

Llanos del Tolima:

Bunde
Joropo Sanjuanero
Bambuco
Torbellino.

doble and *danza*. From the eastern Plains come the *joropo, galerón, carnaval, seis por numeración, seis por derecho, seis numerado, zumba que zumba*. In the plains of Tolima are heard the *bunde, joropo sanjuanero, bambuco* and *torbellino*. In all parts of Colombia the *Villancico* is cultivated. In the southern part of the country the Spanish style of text is preserved, but the music follows a clearly mestizo pattern, with the rhythms of the Colombian bambuco.

Typical Instruments

The typical Colombian instruments can be divide into three groups:

Strings: Tiple, bandola, guitar and requinto.
Woods: Capador, flute, gaita, and chirimia.

Percussion: Ununu, bombo, chucho, llamador and guacharaca.

The bandola is similar to the mandolin; it has five rows of strings and is played with a feather or plectrum.

The tiple is a sort of incomplete guitar, without the fifth and sixth strings, and naturally lacks a deep bass sound. It is played with the right hand. It has a soft nostalgic sound, is lacking in harmonic power, but is most apt as an accompaniment to popular Colombian tunes.

The requinto is a small tiple, something like the Peruvian charango or the Venezuelan cuatro, and is played and controlled with a plectrum. It is used by the peasants in Cundinamarca and Boyacá, whose playing of it sometimes attains a high degree of virtuosity.

En todas las regiones colombianas se cultiva el villancico. En el sur del país se conserva el texto de estilo hispánico, pero la música ha seguido dirección netamente mestiza, abambucada o sea, en ritmos colombianos.

Instrumentos Típicos

Los instrumentos típicos colombianos pueden dividirse en tres grupos:

Cuerdas: Tiple, bandola, guitarra y requinto.
Maderas: Capador, flauta, gaita y chirimía.
Percusión: Bombo, chucho, llamador y guacharaca.

La bandola es instrumento semejante a la mandolina, se ejecuta con pluma o plectro y consta de seis órdenes de cuerdas.

El tiple es una guitarra incompleta, sin la quinta y la sexta cuerdas, vale decir, exento del hondo sonido de los bordones. Se templa por requintillas y se rasguea con la mano derecha. Instrumento de dulce sonido melancólico, pobre en recursos armónicos, pero extraordinariamente indicado para el acompañamiento de aires populares.

El requinto es un tiple pequeño, algo parecido al charango, que se rasguea o se gobierna con el plectro. Lo usan los campesinos de Cundinamarca y Boyacá, y en su manejo alcanzan notables grados de virtuosismo.

La gaita, un instrumento costeño, de muy probable procedencia indígena, tiene semejanza sonora y formal con algunas maneras de la orquesta clásica. Se toca generalmente en pareja: la gaita macho para el acompañamiento y la gaita hembra para dibujar el tema.

The gaita, a costeño instrument probably of Indian origin, has a certain likeness to some instruments of the classical orchestra. It is generally played in pairs: the "male" gaita for accompaniment, the "female" gaita for the melody.

The Bambuco

This is the most characteristic dance of Colombia. It is doubtless of Spanish origin, but its name has suggested several and more exotic sources. Its rhythms are happy, its melodies are sad, and it is difficult to understand for people not used to listening to it in its true environment, which is the Colombian countryside. Musical notation for it is also complicated, for which reason some musicians, falling back on a subtle sense of harmony, work out a theory of the real meaning of the two clefs.

The *bambuco* is strongly lyrical, and expresses feelings of love and nature with exceptional felicity. The *bambuco* is poetry set to music, alive with native colour and vigor, and is a most noble form of popular song. Yet it is different from the *guabina,* which sings a long series of coplas, and from the *torbellino,* suited for ballad or improvisation, and from the *porro,* which recounts dramatic and humorous scenes from daily life. The *torbellino* and the *guabina* are meant to be played while marching, and are, *par excellence,* relaxing to the walker. For that reason pilgrims and merrymakers sing them over hills and down dales. The *bunde,* the *porro,* the *cumbia* and the *galerón* need festive scenery. Their choreography can be appreciated in Tolima on St. John's Day, in the festi-

El Bambuco

El bambuco es la especie característicamente colombiana. De indiscutible procedencia española, en razón del nombre se le han atribuído exóticos orígenes. Rítmicamente jubiloso, melódicamente triste, su interpretación resulta difícil para quien no está habituado a escucharlo en la propia atmósfera de las campiñas colombianas. Su escritura es igualmente complicada, por lo cual, algunos musicógrafos suelen acordar, con sutil recurso de armonía, el sentido real de las dos claves.

El bambuco posee eminente carácter lírico: con singular propiedad expresa los sentimientos del amor y de la naturaleza. A diferencia de la guabina, que sirve para cantar una indefinida serie de coplas, del torbellino, adecuado para la trova o improvisación, y del porro, que relata dramáticos y humorísticos episodios de la vida diaria, el bambuco es música cotidiana, forma predilecta de la canción popular. El torbellino y la guabina están destinados a ser ejecutados en los caminos, son por excelencia, alivio del caminante. Por eso los promeseros y los que a fiestas se dirigen los cantan a través de valles y serranías. El bunde, el porro, la cumbia y el galerón, exigen festivos escenarios: su coreografía se aprecia en el San Juan, del Tolima; en las verbenas del 11 de noviembre, en Cartagena; en el Carnaval de Barranquilla; en las alegóricas veladas bajo el cielo de los Llanos, al final de los grandes rodeos. El bambuco, en cambio, es música que se escucha en todas las circunstancias.

El baile del bambuco supone un hermoso argumento: al encontrarse

vals at Cartagena on the 11th of November, at the Barranquilla Carnival, and also in the allegorical night displays under the skies of the Llanos at the end of big cattle round-ups. The *bambuco* on the other hand, is music that can be heard at all seasons and in all regions.

The dancing of the bambuco is based on an attractive theme. When the couple meet, both swayed by the gaiety of the strings, the man seeks the woman's love, but she coyly flees him, first suggesting a graceful refusal and then a final acceptance. When the couple come together, the young girl executes the small steps of the nervous and romantic sketch which her partner outlines and proposes to her. Then the suitor offers her his handkerchief, a symbol of spiritual attachment, which she winds and unwinds in graceful movements. Finally the man bends his knee in homage and the maiden dances round him, her foot and heart beating in time to the last passionate notes of the tune.

Rafael Pombo has felicitously summed up the thematic intention of the bambuco thus:

Eternal tale of human love!
By Nature's firm decree.
Women flee those who would
(pursue
And follow those who flee.

The *cumbia* is a dance of Negro origin, very popular on the Atlantic coast. As opposed to the *bambuco* of the Andes, which is markedly lyrical in character, the *cumbia* is essentially rhythmical and definitely erotic in spirit. The female dancer

la pareja, impulsada por el alborozo de las cuerdas, él la requiere de amores y ella, esquivamente, le huye, sugiriendo primero una graciosa negativa y luego una discreta aceptación. Enlazadas las figuras, la doncella completa con pasos menudos el nervioso dibujo cromático que su acompañante le propone. El galán le ofrece entonces su pañuelo (símbolo de espiritual vínculo), que ella toma para trenzar y destrenzar con airosos movimientos. Finalmente, el hombre hinca la rodilla, con gentil homenaje, y la novia baila en torno, acordando su pie y su corazón con los postreros y apasionados acordes. Rafael Pombo ha sintetizado felizmente la intención temática del bambuco:

La eterna historia de amor!
Ley que natura instituye;
La mujer siguiendo al que huye
y huyendo al perseguidor.

La cumbia es un baile de procedencia negra, de gran popularidad en la Costa Atlántica. A diferencia del bambuco andino, de acentuado carácter lírico, la cumbia es esencialmente rítmica y de marcada intención erótica. La figura femenina lleva en alto manojos de velas encendidas que hace girar graciosamente en el aire, obligando a guardar prudente distancia al hombre que la sigue anheloso.

El *joropo,* el *galerón* y el *sanjuanero* son característicos de las grandes llanuras. Los dos primeros se cultivan en los Llanos orientales y están emparentados con los aires venezolanos de las mismas latitudes; el tercero es típico de los Llanos del Tolima y toma su nombre de las tradicionales fiestas de San Juan, el 24 de junio.

twirles bunches of lighted caundles high in the air, obliging the man who follows her to keep a safe distance.

The *joropo,* the *galerón* and the *sanjuanero* are typical of the great plains. The first two are popular on the Eastern plains and are related to Venezuelan tunes from neighboring regions. The third is typical of the Plains of Tolima and takes its name from the traditional feasts of Saint John, on the 24th. of June.

Characteristic of the dances belonging to these forms is the difficulty in coordinating the movement of the feet with the rapid and complicated rhythm, especially in such dance variations as 'taconeo' and 'escobillado', which consist of tapping and stamping of the feet. The most outstanding of these figures is the 'careo', a dialogue of heel-tapping, with the two dancers standing face to face. As for the vocal side, the galeron and the joropo are extremely melodious. At times a note is prolongued in the form of a lament or complaint, as in the 'cante jondo'.

The *currulao* is a pure expression of Negro sentiment, containing the melancholy and exaltation of the old African slaves. It is interpreted by large groups, with the drum and marimba supplying background music. It is very wide-spread on the Pacific coast and is heard constantly, not only at the collective fiestas such as those organized on the occasion of the 'mingas' or corn-harvests, but also at family celebrations, such as weddings and baptisms.

National Dress

The variety and interest of the national dress may be noted in the

El *currulao,* expresión pura del sentimiento negro, participa de la melancolía y la euforia del antiguo esclavo africano y se interpreta en grandes masas, con el tambor y la marimba como fondo musical. Es género muy difundido en la Costa del Pacífico y se escucha invariablemente no sólo en las fiestas de carácter colectivo como las que se acostumbran con motivo de las *mingas* o rocerías de maíz, sino también en las de simple alcance familiar como matrimonios y bautizos.

Los Trajes Nacionales

En la ejecución de las danzas populares se puede apreciar la variedad e interés de los vestidos típicos. En el bambuco, por ejemplo, el hombre lleva alpargatas de cuero o fique, pantalón de lienzo arremangado, camisa de color, sombrero de jipa, cinturón de brillante hebilla y pañuelo *rabo de gallo,* a manera de corbata. El antioqueño añade el *carriel* o socorrida cartera de viaje, de innumerables bolsillos, que pende al costado, sostenida por una banda de cuero. Al iniciar la danza el campesino coloca en el suelo, o encomienda a buenas manos, la clásica ruana, especie de poncho que en las regiones montañosas se usa en lana de opacos carmelitas y grises, y en las tierras calientes, en blancos y ligera tela, listada de rojo y azul. La ruana es la más autóctona pieza de la indumentaria rural de Colombia, y la más apreciada por su generosa historia y sus múltiples servicios: cobija, abrigo, montura, mantel, carpeta de juego y aún, capa torera, el labriego y el vaquero quisieran tenerla de mortaja.

popular dances. In the bambuco, for example, the man wears sandals of agave or leather, rolled-up linen trousers, a coloured shirt, Panamá hat, a belt with brilliant buckles and a "cock's tail" kerchief, tied round the neck. The Antioquian adds the "carriel", or handy travelling bag with innumerable pockets which is hung at the side on a leather strap. At the beginning of the dance the countryman places on the floor, or hands to a friend, his classical "ruana", a sort of poncho that is made of beige and grey wool in the mountain regions, and in the hot regions of a light white material striped with red or blue. The "ruana" is the most typical piece of apparel in rural Colombia and the most appreciated on account of its history and multiple uses. It can be blanket, overcoat, saddle-cloth, table-cloth, gaming-cloth and even a toreros's cape, and the farmer and cow-hand would like to have it as a shroud.

In the regions of Cundinamarca and Boyacá, the female character in the bambuco presents a serene and picturesque contrast. A wide, black skirt has bands of black silk, while the short mantilla which falls prettily on the shoulders is also black. The sandals, the blouse and the Panamá hat are all white. In other regions the mantilla and the Panamá hat (or *jipa*) are replaced by the *corrosca,* a straw hat, and a gay ribbon tying the ends of the plaits or a red flower adorning the bare head. The skirt also is gayly colored, and one color has come to be characteristic of national folklore: Ambalema pink.

En las figuras de Cundinamarca y Boyacá, la figura femenina que participa en el bambuco, adopta un severo y sugestivo contraste: en negro, la amplia falda ribeteada de galones de seda negra y la corta mantilla que cae graciosamente sobre los hombros; en blanco, las alpargatas, la blusa y el sombrero de jipa. En otras reemplazados por la *corrosca* o sombrero de paja amarilla, vistosa cinta al extremo de las trenzas o flor encarnada en la cabeza descubierta. También la falda cobra alegres colores, uno de los cuales ha llegado a ser característico del folclor nacional: el *rosado de Ambalema.*

Las Coplas

La copla española ha dejado en todos los campos folclóricos del Nuevo Mundo, el recuerdo de su color y de su gracia. Evidentemente, el cancionero hispanoamericano es, ante todo, el español, modificado, accidentalmente y enriquecido por el ingenio y el sentimiento de los pueblos de América que hablan español:

Una me dijo que sí,
otra me dijo que no;
yo me quedé sin saber
cuál de las dos me engañó.

Si la piedra con ser piedra
al golpe del eslabón
brota lágrimas de fuego,
¡qué será mi corazón!

Una suma considerable de ese cancionero es genuinamente nacional; especialmente aquellas coplas y trovas que surgieron a las orillas del Magdalena fecundo; o en las sierras antioqueñas, donde el trabajo y el amor cantan apasionadamente; o en

The Coplas

The Spanish *copla* is a kind of ballad which has left on every folklore in the New World a touch at least of its color and grace. It is quite evident that the songs of Spanish America are fundamentally Spanish, thought modified by chance or circumstance and often enriched by the with and sentiment of the Spanish speaking peoples of America:

One girl told me yes,
Another told me no:
Which one deceived me
I never did quite know.

If from flint, though only flint
When struck by steel, there start
Instant tears of fire, how must
It be with this my heart!

A considerable part of the treasure-trove of Colombian balladry is genuinely native. Especially so are the coplas which have sprung up by the waters of the fertilizing Magdalena; or amidst the serried heights of the mountains of Antioquia, where labor no less than love is passionately sung; or in Tolima, which is like a vast rural school of music; or in Boyacá, where there may still be heard the tuneful lamentation of an ancient race, whose melancholy has not been diluted by the new blood flowing in from overseas.

Sing, my little birdie, sing
In the green banana-grove,
For it's there my dusky love
Washes linen by the spring.

el Tolima, semejante a una vasta escuela rural de música; o en Boyacá, donde aún se escuchan los gemidos líricos de una raza que se diluye en los caudales de la nueva sangre.

Cánta, cánta tochecito
en el verde platanal,
que allá está mi morenita
lavando en el manantial.

En el monte me da miedo
y en el llano me da alegría;
mi candela y mi tabaco
son mi sola compañía.

Y así, el pueblo canta siempre, triste o jubiloso, a lo español, o a lo autóctono, enriqueciendo, sin saberlo, el cancionero noble de Colombia:

La caña con ser la caña
también tiene su dolor;
si la meten al trapiche,
le parten el corazón.

Tarrito de agua florida,
frasquito de agua de olor;
no te vas a derramar
en otro pecho, mi amor.

Oyeme río Magdalena
no te pongas tan ufano
que lo que te da el invierno
te lo quitará el verano.

Desde el punto que te vi
le dije a mi corazón:
¡qué bonita piedrecita
para darme un tropezón!

Tengo un dolor no sé dónde
nacido de no sé qué,
sanaré yo no sé cuándo
si me cura no sé quién

Por aquí pasó San Juan
en su caballito negro,
con su ruana echada al hombro,
gritando ¡"Viva San Pedro"!

The woodlands make me
(frightened,
And the plains fill me with
(glee;
My light and my tobacco
Are all my company.

It is thus that Colombian people sing, now gay, now burdened with sorrow, in the Spanish fashion, and the indigenous fashion, enriching, all unawares, the noble treasury of their country's song.

Sugar cane, mere sugar cane,
Also comes to sorrow's part
When they put it in the mill,
They break its heart.

Little jar of flower water,
Little flask that smells so sweet,
Don't you go and spill yourself
On some other beauty you may
(meet.

Listen, River Magdalena,
Don't you be so proud today
What you got from winter rains
Summer sun will take away.

From the moment I saw you
I said to my heart
There's a pretty little stone
To give my foot a start.

I've got a pain, I know not
(where,
And it comes from I know not
(what,
I'll be well, I know not when
If I'm cured by I know not
(whom.

San Juan passed by
On his little black pony
His ruana on his shoulder
Shouting, "Long live good
(St. Peter".

GAITEROS INDIGENAS DE SAN SEBASTIAN
GAITA PLAYERS, SAN SEBASTIAN
Fot. Lucía Defrancisco

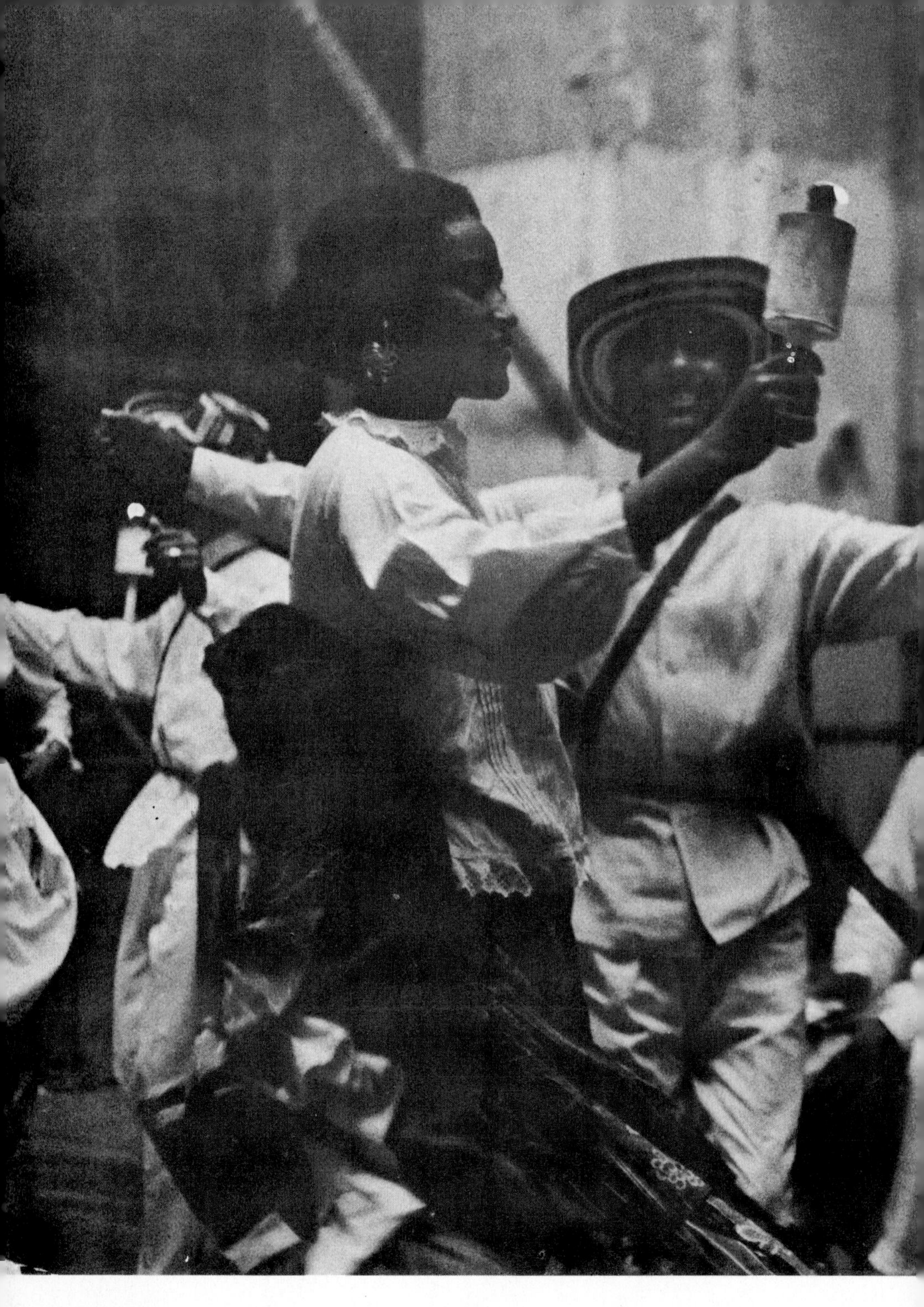

LA CUMBIA
THE CUMBIA
Fot. Hernán Díaz

INDUSTRIA DE LA TAGUA
PRODUCTION IN TAGUA WOOD
Fot. Hernán Díaz

CAMPESINAS DEL VALLE DE TENZA
COUNTRY WOMEN OF THE TENZA VALLEY
Fot. Acuña

LA GUABINA
DANCE OF THE GUABINA
Cortesía de "Semana"

TENDIDO DE SOL
SUNNY SIDE OF THE BULL RING, BOGOTA

I N D I C E

C A P I T U L O I

MITO Y REALIDAD DE EL DORADO

C A P I T U L O II

PRINCIPALES CARACTERISTICAS DE LA NACION COLOMBIANA

CAPITULO III

PANORAMA GEOGRAFICO

CAPITULO IV

FACTORES ECONOMICOS

CAPITULO V

RESUMEN DE HISTORIA POLITICA Y CULTURAL

CAPITULO VI

ITINERARIO DEL VISITANTE CURIOSO

CAPITULO VII

RASGOS FOLCLORICOS

INDEX

CHAPTER I

MYTH AND REALITY OF THE GOLDEN MAN

CHAPTER II

PRINCIPAL CHARACTERISTICS OF THE COLOMBIAN NATION

CHAPTER III

GEOGRAPHIC PANORAMA

CHAPTER IV

ECONOMIC FACTORS

Chapter V

SUMMARY OF COLOMBIAN HISTORY

CHAPTER VI

VISITOR'S ITINERARY

CHAPTER VII

FOLKLORIC FEATURES

SE TERMINO LA IMPRESION DE ESTE LIBRO EL DIA VEINTIOCHO DE JUNIO DE MIL NOVECIENTOS SESENTA Y SEIS EN LOS TALLERES EDITORIALES DE LIBRERIA VOLUNTAD.

BOGOTA, D. E. - COLOMBIA.

REPUBL
DE
COLOM
OCEANO ATLANTICO
RIOHACHA
STA. MARTA
BARRANQUILLA
CARTAGENA
PANAMA
MONTERIA
R. Sinú
R. Sn Jorge
Río Magdalena
VENEZUE
CUCUTA
R. Atrato
R. Arauca
ARAUCA
BUCARAMANGA
MEDELLIN
PAZ DEL RIO
QUIBDO
MUZO
TUNJA
R. Cauca
MEDELLIN
R. Meta
OCEANO PACIFICO
IBAGUE
BOGOTA
ARMENIA
VILLAVICENCIO
CALI
R. Guaviare
NEIVA
POPAYAN
R. Guainí
SN.
FLORENCIA
PASTO
MOCOA
MITU
ECUADOR
SAN ANDRES
PROVIDENCIA
R. Putumayo
BRAS
PERU
MALPELO
LETICIA
Río Amazonas